变革

为 法 国 而 战

【法】埃马纽埃尔·马克龙 著   罗小鹏 译

四川人民出版社 | 凤凰阿歇特 hachettephoenix

图书在版编目（CIP）数据

变革 / (法)埃马纽埃尔·马克龙著；罗小鹏译.
— 成都：四川人民出版社，2018.1
ISBN 978-7-220-10679-8

Ⅰ.①变… Ⅱ.①埃… ②罗… Ⅲ.①埃马纽埃尔·
马克龙-自传 Ⅳ.①K835.657=6

中国版本图书馆CIP数据核字(2017)第329325号

版权合同登记号：图进21-2018-20

BIAN GE

变　革

（法）埃马纽埃尔·马克龙　著

罗小鹏　译

策　　划	凤凰阿歇特文化发展（北京）有限公司
特约编辑	姚非逐　程少君
责任编辑	张春晓　唐　婧
装帧设计	刘　夏
责任校对	韩　华　舒晓利
责任印制	祝　健
出版发行	四川人民出版社（成都市槐树街2号）
网　　址	http://www.scpph.com
E-mail	scrmcbs@sina.com
新浪微博	@四川人民出版社
微信公众号	四川人民出版社
发行部业务电话	（028）86259624　86259453
防盗版举报电话	（028）86259624
印　　刷	成都东江印务有限公司
成品尺寸	165mm×230mm　1/16
印　　张	16
字　　数	320千字
版　　次	2018年1月第1版
印　　次	2018年1月第1次印刷
书　　号	ISBN 978-7-220-10679-8
定　　价	58.00元

目录

序言

1

第一章 我是谁

7

第二章 我的信念

29

第三章 我们是谁

39

第四章 巨大的变迁

51

第五章 我们所期望的法兰西

63

第六章 投资未来

75

第七章 法国制造和环境保护

89

第八章 教育下一代

101

第九章 靠劳动谋生

113

第十章 为弱势群体着想
127

第十一章 城乡结合
143

第十二章 热爱法兰西
157

第十三章 反恐维稳
171

第十四章 掌握我们的命运
183

第十五章 重建欧洲
203

第十六章 权力回归民众
221

结束语
239

马克龙胜选演讲
245

序 言

正视这个世界的现状将使我们重获希望。

有些人认为，我国在衰落，更糟糕的日子尚未到来，法兰西文明在消失，我们未来所面临的只能是闭关自守或内乱。若想在世界大变革中自保，我们只能倒回去，沿用上世纪的政策。

还有一些人认为法国还可以继续在下坡路上慢慢走下去，幻想着政党更迭的机制仍能为我们提供喘息的空间。无非是左派下台，右派上台——这么多年了，还是那几个人，换汤不换药。

我坚信，这两类人都大错特错。因为真正有问题的是他们选择的社会模式和政策，而这个国家，总的来说，并未没落。这一点，法兰西的国民是隐隐自知的。由此也就产生了人民和统治者的割裂。

我坚信，法国渴望进步，也具备进步的实力和动力，更有悠久的历史和团结的人民推动国家向前进。

我们已进入一个全新的时代。全球化、数字化、社会不平等的加剧、气候危机、地缘政治冲突、恐怖主义、欧洲的分崩离析、西方社会的民主危机，以及逐渐笼罩我们的对未来的恐慌：这些都是一个正经历动荡的世界的症状。

我们不能用同样的人、同样的想法来应对这场大变革，幻想可以走回头路，或认为只需修补或调整社会架构和模式（一些人喜欢用这个词）即可应付。然而事实上，我相信我们之中没有任何人，希望再借鉴现有模式。

同样，我们也不能无休止地要求法国民众做出努力，并承诺他们可以走出事实上并不存在的危机。我们的执政者30年来一直反复给出空洞的承诺，正因如此，才导致了人们的气馁、怀疑甚至反感。

我们必须直面事实，就正在发生的社会变革展开讨论，制定我们的目标、达到目标的途径，以及这一过程所需的时间。而这显然不是一朝一夕就能完成的。

法国民众比他们的领导人更清楚要顺应新时代的新要求。他们不像政客那么守旧，不会抱着保障自己仕途平坦的固有想法不放。

我们必须打破旧习。无论是国家、政治领袖、高级官员、经济领袖、工会，还是社会团体，都有义务这么做。回避问题或者安于现状都是错误的决策。

我们已经习惯了这个世界带给我们的惶惶不安。于是，我们非但不愿提及或正视问题，还选择了抱怨，直至悲剧酿成，绝望接踵而来，恐惧占据了我们的内心，我们却还在混沌中度日，内心虽渴望改变，却又没有迫切到让自己行动起来。

如果想要进步，让我们的国家有所成就，并在21世纪重现我们从前的繁荣景象，我们必须行动起来。答案就握在我们自己手里，它既不存在于一连串不切实际的提案中，也不是一味地做出无意义的妥协就能找到的。要想找到答案，就必须听取多方意见，其前提是进行一场深层次的民主革命。这个过程会很漫长，而唯有我们的团结、勇气和坚持能引领我们走向成功。

我寄希望于这场民主革命。有了它，无论是在法国还是在整个欧洲，我们都能一起主导变革，而不是任其摆布。

这也是我要在这本书里描绘的民主革命。你们在这里不会看到施政计划，也看不到任何会让我们的政治生涯看起来像是一个个空头支票的提案，你们能看到的只有我的见解、我的故事和决心。

法国人民有自己的意志，却时常被执政者忽略。而我就是要服务于这个意志，因为我此生唯一的动力就是能为国所用。也正因为如此，我才决定参与法兰西共和国总统的竞选。

我深知时代之严峻，任务之艰巨。但在我看来，没有比这更崇高的选择了，因为我的选择与你们的想法不谋而合，即重塑法兰西，造就一个有魄力、求上进的法兰西，并在此过程中重拾我们旧日的活力和骄傲。

我深信，我们终于迈入的这个21世纪仍是充满了希望和变化的，而且是使我们的生活变得更加美好的变化。

这就是我给你们的提议。

让我们携手为法兰西而战，在我看来，没有比这更伟大的战争了。

CHAPITRE

01

第一章

我是谁

在开始这场冒险之前，我必须先交代一下自己的经历以及信念。毕竟，公众生活不足以说明一切。我今年38岁，在过去的生活中，我从未想过自己会担任经济部长，也没有想过会有今天的政治立场。为什么会选择走这条路，我自己也无法真正说明原因。我只看到了最终的结果，而这结果也并非理所当然。这个选择其实由来已久，它源于我对自由的无限渴望，当然，跟运气也有一定的关系。

1977年12月，我出身于皮卡第大区[1]的首府亚眠市的一个公立医院医生家庭。在这之前不久，凭借家人的勤奋和智慧，我们家刚刚跨入中产阶级的行列。我的祖父母和外祖父母都来自普通家庭，分别任职教师、铁路员工、社会工作者和路桥工程师。我的家庭史就是一个拥护共和政体的地方家庭奋斗史。可以说，是知识改变了我们家族的命运，从医在上一辈人眼里更是一条康庄大道。因此，在祖父母的鼓励下，我的爸爸、妈妈、弟弟和妹妹都选择了行医。我是家里唯一没

----

1 2016年1月1日起与毗邻的北部加莱海峡大区合并成为上法兰西大区。

有从医的人，但这绝不是出于对医学的厌恶，正相反，我是热爱科学的。

我没有从医的真正原因，是我在面临人生选择的时候，决定争取一个属于自己的世界，一场我能主宰的冒险。从我记事起，我就一直渴望能选择自己的人生。幸运的是，虽然我的父母主张子女勤奋，但他们仅仅把受教育看作是通往自由的途径，而并没有将他们的意愿强加在我身上，从而让我有机会忠于自己的内心。

我选择了自己的人生，并在每个阶段越发坚定自己的选择是正确的。尽管这条路并非一帆风顺，但起码我的目标明确。追逐自由的过程中，我唯一需要付出的是不懈的努力，而我甘之如饴。我尝过失败的滋味，有时甚至是非常惨痛的失败，但我从未轻言放弃，因为我要对自己的选择负责。也正是这段经历让我更加坚定了自己的一个信念——生命中最为宝贵的莫过于能够自由支配自己的人生，追逐最初的梦想和施展自己的才华。每个人都有属于他自己的才能。这一信念决定了我后来的政治立场，也使我对这个等级分明、充满淡漠的社会中的不公更加敏感。这样一个人人都在打各自的小算盘的社会制约了我们所有人实现自我价值。

我的祖母和我父母一样求知欲很强，是她教导我要认真学习。从我5岁起，每天放学后，她还要花好几个小时教我语法、历史、地理、阅读等。我曾经整日整日地大声朗读莫里哀、拉辛、乔治·杜哈曼（这个作家现在有点被人遗忘了，但我祖母很喜欢）、莫里亚克和季奥诺的作品。我记得小时候，每逢学校有考试，祖母都会在焦虑不安中等待我回家，哪怕是一场无足轻重的小测验。

这就是我的无价之宝——我有一个时刻挂念我、重视我的家庭。对他们来说，只要我过得好，别的都不重要。这种关心正如雷欧·费亥歌里唱的那样——"别太晚回家，更不要着凉"，每每听到这些，我都倍受感动。

这些充满爱意的话语伴随我的整个孩提时代，其中蕴含着对我来说最重要的情感——关爱、信任和责任感。我深知，并不是每个人都能如此幸运。当然，童年的运气会带来怎样的结果，那就另当别论了。我的童年运气不止于此，如今每当我与他人探讨学校教育问题时，我总会想起自己的家庭是如何重视学校教育的，也会想起那些以培养人才为己任的老师们。在教育领域表现出这样的责任感、决心和爱心的国家不多，我们每一代人都有义务守护着这样的火焰，让它经久不熄。

就这样，我在一个由书本砌成的世界度过了童年。那是一段在法国外省度过的悠闲时光，一段有阅读和写作相伴的快乐时光。我那时的生活被文章和词句填满，我的世界也因文字而变得丰盈，有时我甚至觉得文字中的世界比现实世界还要真实。渐渐地，我观察到的不再是事物的表象，文学那股神秘而亲切的暗流将我带入了世界深处。那时，我的旅行都是在想象中完成的。透过作家的风格，以及他们笔下绽放的迷人世界，我认识了大自然里的花草树木。

在科莱特的书里，我知道了什么是一只猫或一朵花；在季奥诺的书里，我领教了普罗旺斯的寒风和人性的现实；纪德和谷克多则是我不可替代的精神伙伴。当时的我生活在一个由父母、兄弟姐妹以及祖父母构筑的世外桃源里。

我父母将学业看得至关重要，并给予了我极大的关爱，但他们从未干扰我的选择，甚至鼓励我自己做决定。

在我祖母眼里，再没有比文学、哲学和大作家更要紧的了。因为，正是教育改变了她自身的命运。她出身于巴涅尔德比戈尔市的一个普通家庭，父亲是火车站站长，母亲替人帮佣做家务。她是家里唯一在拿到初中文凭后还继续上学的孩子，她的哥哥和姐姐读完初中就去打工挣钱了。她母亲是文盲，父亲识几个字，但阅读困难，时常分辨不出文字的细微差别。她常给我讲自己学生时代印象最深刻的一件事儿：初中二年级的一天，她拿着成绩单回家，上面写着"全优生"的评语，但她的父亲误以为是在说她作风轻浮，便扇了她一记耳光。高中最后一年，她遇到了一位赏识她的哲学教师。在老师的鼓励下，她通过函授进修了文学，并在二战爆发前顺利拿到了文凭。靠着这个文凭，祖母在纳韦尔市找到了一份教书的工作，开始独立生活，并将她长期遭受家庭暴力的母亲带到自己身边，不离不弃，悉心照顾，直到母亲去世。

我的祖母是一名教员。我之所以使用"教员"这个词，是希望能够帮它摆脱人们固有印象中拖沓、懒散的教师形象，为它重新镀上一层热情、无私和耐心的光辉。我仍记得祖母过去的女学生给她写的信以及她们登门拜访时的情形。是祖母为她们指出了通往自由的求知之路，这条路丝毫不坎坷——下课后，大家一边喝着热巧克力，一边欣赏肖邦的钢琴曲，或是细细品味季洛杜的著作。与我祖母的出身一样，那些学生的父母大都是皮卡第的手工业者或农户。祖母领着她们重温自己走过的每一段路，为她们开启通往知识和美，甚至通往无限可能的大门。

那时候，普通家庭对女孩受教育存在很多偏见，在与这些偏见抗争的过程中祖母从未气馁。一方面因为她生性乐观，更因为她的亲身经历使她坚信自己想要传授的正是一个文明社会的精髓。正因是精髓，我们才应该以让女子受到与男子同等的教育为荣耀。

我可以说是她的最后一个学生，如今她已离世，我没有一天不在想念她，也没有一天不在找寻她的目光，因为我希望自己未来的工作无愧于她对我的教诲。祖母把一生都贡献给了女子教育，她深知即使在我们这样的国家，女子获得受教育的权利已经实属不易。对她而言，真正的知识是自由的，属于个人的。如果她看到今天我们除了颁布禁令和正面对抗这些充满敌意的解决方式以外别无他法，我想她会更加感到痛心，因为这与我们本应带给孩子的启蒙背道而驰。事关下一代的教育，若非以爱为出发点，便无法做出正确的决策。

我为自己曾接受祖母充满爱的教育而倍感幸运。她的音容笑貌，她给我讲述的那些往事，以及她的自由和严苛，至今都影响着我。

我记得那些在她房间度过的清晨，我每日早早起床只为听她追忆战乱时的经历和那时的友谊，感觉就像行走在她小说般的人生里。我现在仿佛仍能嗅到她在天亮前准备好的咖啡的浓郁香味。那时，若我没能在七点准时去祖母的房间找她，她便会来到我的卧室。我仍记得卧室门被轻启的声音，那声音仿佛在说："你还在睡吗？"我不愿在此赘述与祖母的点点滴滴，但正是这些回忆将我和她紧紧地连接在一起。

同我父母的交流也总是围绕着书本。因为他们，我接触到了一种更富哲理、更现代的文学。我们之间也有很多围绕医学展开的谈话，话题往往围绕着医院生活、医学实践和研究进展等，我们可以连续辩论好几个小时。若干年后，我那成为心脏科医生的弟弟洛朗和成为肾脏科医生的妹妹艾丝特尔将这一传统继承了下去。

那几年的时光让我明白了一个道理，若想获得自由，必须付出足够的努力，同时要拥有强烈的求知欲。诚然，现在的我在纷繁的社会活动中找到了乐趣和使命，但那远离一切人类烦恼的平静生活所带给我的幸福是无可比拟的。它如同我的根基一般护佑着我，引导着我做出明智的选择。

除文学外，我其余的心思就都放在钢琴和戏剧上了。对钢琴的热爱始于我的童年，至今未变。

步入青春期后，我接触到了戏剧。对我来说一切都是那么水到渠成：在舞台上诵读我和祖母一起反复阅读的篇章，听别人诠释一个角色，和他人一起呈现一段鲜活的表演，这一切都令我既开心又感动。

也是因为戏剧，我在高中时结识了布丽吉特。情愫在我心中悄无声息地发芽，直至我发现自己爱上了她。我们最初只是觉得精神契合，在朝夕相处中渐渐培养出了一种微妙的亲密感。我们都坦然接受了这一情感，直至今天，依然炙热如初。

我每周五都同她一起花好几个小时的时间创作一部戏剧。如此持续了几个月之后，剧本写完了，我们又决定一起把它搬上舞台。在此期间我们无话不谈，仿佛相识已久，而剧本创作变成了我们见面的借口。

几年后，我梦想中的生活变成了现实。我和布丽吉特走到了一起，任何负面的声音都无法拆散我们。

16岁那年，我离开故乡前往巴黎。在这个年纪背井离乡，选择去大城市打拼的年轻法国人不在少数。对那时的我来说，这无疑是最棒的冒险：我来到了那个原本只出现在小说里的地方，行走在福楼拜和雨果笔下的人物走过的路上，内心犹如巴尔扎克小说里的少年般意气满满。

我很喜欢那些去圣热纳维耶夫高地漫步的岁月。

但我不得不说，我虽日复一日地刻苦学习，同样的课程，我在亚眠时可以在班里名列前茅，在这里我就暗淡多了。我的身边聚集了一群年轻的佼佼者，他们中有些是数学天才，而我只能通过加倍努力去弥补与他们之间的差距。同时我必须承认，在初到巴黎的那几年里，我把更多的精力放在了享受生活和爱情上面，无心加入同学间的竞争。

我那时候只有一个念头——和我的爱人一起过梦想中的生活，并竭尽全力实现这一目标。

巴黎高师的大门最终未能向我敞开，在几次尝试之后，出于对哲学的热爱，我进了巴黎第十大学——楠泰尔大学。之后又因为一个偶然的机会，我入读了巴黎政治学院。

那些年是美好的，我能够自主选择实践机会，探索未知，并有机会结识不同的人。我很喜欢曾停留过的这些校园，正如我热爱那些曾给予我谆谆教诲的人。这期间，我最大的幸运是在一次偶然的机会下认识了哲学家保罗·利科，他当时正在寻找一个可以协助他整理文件的助手，而这次相遇得益于我热心的历史老师和保罗·利科的传记作者。

我永远忘不了我和利科在沙特奈马拉布里市的白墙公馆[1]一起度过的那几个小时。我听他侃侃而谈，并未表现出面对名人的胆怯。我必须承认，这份坦然源自于我对他的一无所知。我从没读过他的著作，自然也就意识不到他有多了不起。夜幕降临，我们都没有去开灯，而是在一种逐渐建立起的默契中继续我们的谈话。

从那晚起，我们之间建立起了一种特殊的合作关系：我的主要工作是研读和评论他的文章，以及协助他阅读参考资料。我就这样在他

1　沙特奈马拉布里市的一所著名建筑，历史上曾有多名作家、学者在此居住。保罗·利科自1956年起在此居住，直至2005年逝世。

身边度过了两年多的时光，收获良多。其实，我的资质本不足以胜任这个工作，是他的信任促使我不断提升自己。在他的影响下，我每日不间断地阅读和学习。他认为自己的工作内容只不过是研读经典著作，而这一定义源自于他谦虚地把自己比作一位站在巨人肩膀上的侏儒。那几年里，我还有幸接触到了奥利维尔·蒙甘、弗朗索瓦·多斯、凯瑟琳·戈尔登斯坦和特雷兹·杜芙洛，他们待我亦师亦友，并深深地影响了我。

在利科的指引下，我对上世纪的历史有了更透彻的了解，也学会了从历史中吸取经验教训。他教我怀着敬畏之心去看待某些问题和某些历史悲剧，以及通过文章解读生活。保罗·利科笔耕不辍，每日在理论和现实中往返，虽伏案工作，却志在照亮世界变迁之途，赋予日常生活以意义。是他告诫我，千万不要被情感摆布，也不要道听途说，更不要将自己封闭在一个脱离现实的理论空谈之中。在这种看似冲突不断、实则激发灵感的失衡状态下，才能迸发出有意义的思考，才能实现真正的政治变革。

有其师必有其徒，这段以利科作为精神导师的经历彻底改变了我。我认识的利科性格严谨，擅长观察现实生活，同时对他人充满信任。我明白，遇到他是我这一生莫大的运气。

在那几年里，我愈发坚定了一个信念，那就是我想做的并不局限于学习、阅读或理解，而是要行动起来，切切实实地做出改变。于是我决定换专业，转学法律和经济，并最终选择了社会决策。于是，我同几个关系密切的朋友一起，着手准备国立行政学院的入学考试，这些朋友至今仍在我身边，不断给予支持。

进入这座学校不久，我就立即被派往政府部门进行为期一年的实习。学生在这里完成职场初体验，而年轻公务员则是在实践中完成了自我培训。

我很喜欢这一年的实习和培训，从未主张取消国立行政学院。如今制度中的问题在于，高级公务员的职位过于稳定，而与此同时其他人都生活在不安之中。

我的为国效力之路始于法国驻尼日利亚大使馆。六个月间，我有幸在一位出色的大使——让-马克·西蒙[1]——身边工作。之后，我被派往瓦兹省[2]的省政府工作。在那里我接触到了国家机构的另一面——地方政府、地方代表和社会政策。我怀着极大的热情度过了这段时间，并与很多人建立起了深厚的友谊，其中最值得一提的就是米歇尔·罗卡尔[3]。

也是在那个时候，我认识了不久前刚刚去世的亨利·埃尔芒[4]，他后来对我的期许很高。从一开始，他就待我亦父亦友，我们也有着相同的政治取向和观点。这位杰出的人物曾经是个成功的企业家，同

1　让-马克·西蒙（1947- ），法国外交家，曾任驻尼日利亚大使。

2　瓦兹省，法国北部省份，位于巴黎以北仅30公里。

3　米歇尔·罗卡尔（1930-2016），法国前总理（任期1988-1991年），左派。

4　亨利·埃尔芒（1924-2016），法国资深传媒人、销售业巨富。

时也是几十年来法国进步主义运动的拥护者。正是借由他的关系，我结识了米歇尔·罗卡尔。

他们两人在2016年相继离世。在过去的15年里，我们一直保持密切的来往，或谈论人生，或谈论政治，度过了很多亲密的时光。米歇尔·罗卡尔和我除了年龄、经验和曾担任的职务有所不同外，还存在本质上的差别。与我相比，米歇尔·罗卡尔拥有更深厚的党派文化背景，以及穷尽毕生力量改革其所属政党的意志。他的严谨、决心和友谊都深深影响了我。无论是在历史根源深远的重大国际问题上，还是他为之奋斗了30年的气候事业上，他都为我树立了忧患世界的榜样。

在国立行政学院学习的这段经历完全超出了我的预想。我当时并不真正清楚自己想干什么，也没有方向。所以我在这个学校学习时获得的名次对我来说是一个惊喜，让我可以自由选择毕业去向。开始接触财务检查工作时，我像是发现了新大陆。虽然也是政府工作，但对我来说多了种未知的吸引力。在那四年半的时间里，我学会了以严谨的态度进行核查工作，在基层的走访也让我收获颇丰。我在对公共事业有了更深入认识的同时，也学会了团队合作。

我有机会走遍这个国家的各个地方，曾往返于特鲁瓦、图卢兹、南锡、马罗尼河畔圣洛朗和雷恩市之间，并度过了几周的时间。这段时间拉近了我和同事之间的距离，我们在交谈中学会了层层剖析保证国家机器正常运行的各种政府机制。

也是在这个时候，我被任命为"提高法国增长委员会"副报告人。该委员会当时的委员长是雅克·阿塔利[1]。我有幸在他的领导下与委员会的40名成员一起工作了六个月的时间，与其中不少人成为朋友。通过委员会这个平台，我结识了一些非凡的男性和女性——他们是知识分子、公务员、企业家——并有幸求教于他们，接触到了不同领域的问题，且心系至今。

几年的政府工作之后，我决定离开人们口中所说的"服务"机构，进入私有企业。

我当时的想法是要了解私有企业的运行规则，观察国际局势对私有企业的影响，然后再回到政府部门。在这期间，我一直保持着对政治的关注。在《精神》[2]杂志工作期间，我先是与让-皮埃尔·舍韦内芒[3]的朋友短暂来往，然后加入了社会党，后因观念不合而随即退出。其间，我有机会察访了加来走廊加来海峡省地区，并逐渐积累了一些社会关系。

我就这样离开了政府部门，进入罗斯柴尔德投资银行工作。这里的一切对我来说都是崭新的。开始的几个月里，我从业界内最年轻和最有经验的人那里学到了这个行业的工作方式和技巧。然后，在经验老到的银行家带领下，我体会到这一行业的非凡之处——它要求你搞

1　雅克·阿塔利，（1943-），法国经济学家、政论家、作家。

2　《精神》（*Esprit*），法国左派知识分子杂志，创办于1932年。

3　让-皮埃尔·舍韦内芒，（1939-），法国左派政客，多次入阁政府担任部长。

清楚整个产业块及产业现状，说服一个企业负责人做出正确的企业战略决策，继而陪伴他带领整个技术团队执行这个决策。在此期间，我了解了商业的奥秘，见证了它巨大的影响力。但更重要的是，我从别人那里学到了很多东西。

这个行业被某些人吹捧到无法企及的高度，而另一些人则仅仅在其中看到了金钱的肮脏和对人的剥削压榨，我既不认同前者的得意扬扬，也不认同后者的负面刻薄。在我看来，这两种观点既幼稚又不合时宜。

我同一些出类拔萃的同事相处了不少时间。大卫·德·罗斯柴尔德[1]的高明之处就在于，他能将原本很难一起共事的精英人物聚集在一起来为他工作。因为这个行业的关键不是摆弄金钱，也不是拿钱去借贷或投机，而是提供咨询。在这里，真正有价值的是人。

我从未后悔在银行工作的这四年时间。但我的这段经历却常受人诟病，因为不了解这个圈子的人会把这里想象得十分不堪。无论如何，我在这里真正了解到了一个行业的运作，而我认为所有的政治领袖也都应该有一个自己熟悉的领域。我在工作中接触到了好几个领域和不少国家，受益匪浅。与一些决策者的来往也使我增长了见识。我也有可观的收入，但没有多到足以让我从此悠闲度日的地步。

2012年，我听从自己的内心，离开了这家银行，重新回到政府机

1　大卫·德·罗斯柴尔德（1942- ），法国银行家，罗斯柴尔德家族成员。

构。在离职前两年，我就已经决定应弗朗索瓦·奥朗德的邀请，参与到左翼政党的经济改革议题和方案的准备工作中。奥朗德当选总统后，我接受他的邀请前往爱丽舍宫，并以总统府办公室副主任的身份在他身边工作了两年，主要负责欧元区和经济方面的议题。

那几年我在为国效力，除此之外，就没什么好说的了。我唯一能做的就是毫无保留地进言，至于能否被采纳就不是我所能左右的了。我希望自己提出的建议中，起码有一些是中肯的。当然我肯定也提出过错误的建议，对此我也不会回避——我在任职期间并非面面俱到。两年后，我提出辞职，并于2014年7月离开爱丽舍宫。

我没有像多数人一样试图在政界或商界谋求个好职位。我更倾向于自己单干——创业或教书都可以，当时也丝毫没有重返政坛的打算。更何况，当时有一个狂热的"道德委员会"，他们几乎禁止我与总统再见面。这种过激且不现实的做法令人捧腹，但我全然没放在心上，因为我已经想好了自己要走的路。之后不久，总统又召我回去任职经济、工业和数字经济部长。

接下来发生的事情就是公众所熟知的了。我尝试在政府内部做些改变，并得到了支持。有一次在国会，我花了几百个小时的时间说服人们通过一项我认为有效的法案——它有助于解开周日工作禁令，放宽运输条件，鼓励市场竞争，重新刺激购买力，并创造更多就业机会。

怀着这样的雄心壮志，我勾画出一幅以创新和投资为基础的工业计划蓝图。在持续多年的经济衰退后，我们的当务之急是积极有力地保护工业，重振一些大型企业，例如标致雪铁龙集团和大西洋造船厂等。我幻想引导一场"头脑清醒，敢想敢作"的运动，为工业振新和经济独立付出努力，并且收获成效。例如，作为政府，我们要知难而进，对类似核能和石油配套的行业进行重组，或者对法国钢铁业予以保护。但即便如此，我也从未天真地认为政府干预一定能够带领我们走出绝境。当然，我必须承认，在这条道路上我也曾经历失败。我希望通过支持投资、号召企业家务实和倡导"科技法国"这三种途径，为明日工业做准备。说到明日工业，在法国已经有一股新兴的力量正在萌生了。

接下来就是那段充斥着僵持和意见分歧的日子。

2015年秋天的恐怖主义事件[1]之后，各种状况接踵而至——国家没有抓住这个全新的经济机遇，通过改革建立强大欧洲的决心日渐崩塌；人们围绕国籍话题进行毫无意义的辩论，而这场辩论除了分裂国家，并没有对恐怖袭击给出任何对策……在我看来，这些政治决策都有失妥当，甚至可以说是彻底的失误。就在危机和绝望助长极端主义和暴力行为的同时，我们的邻国却已经找到降低失业率的可行性方案。在这种情况下，我认为解决经济和社会问题刻不容缓。

---

1 指"11·13"巴黎恐怖爆炸袭击事件。法国当地时间2015年11月13日晚9点左右，法国巴黎市区郊区公共场所共计发生7处枪击、6次爆炸的恐怖事件。

针对这一事务，我丝毫没有掩饰自己的不同意见。担任经济部长期间，我的改革则因接二连三的形势判断失误、同事的无法胜任以及一些人的私下中伤而受阻。于是，我决定提出一项新的政治主张，并于2016年4月6日在我的家乡亚眠市首次发动"前进"运动，它的目的从来就不是"对抗"什么，而是"支持"什么。马尔罗[1]说得好："对抗并不存在。"我就是一个为"支持"而存在的人。我支持不同的政治派系能够超越对立，共同存在；我支持在重建国家的征途上走得更远；我支持将辉煌的历史同进步的动力重新连接，为下一代打造一个更美好的明天；我支持让法国人民参与变革；我支持重用新的面孔、新的人才。

在接下来的几个月里，我的想法越来越清晰——我必须离开政府。唯有这样才不会违背我对形势的解读、我的追随者的意愿，以及我对国家的期待。

有人说我忘恩负义，并且闹得沸沸扬扬。我要就这件事反驳一次，只此一次。我认为这一说法恰恰反映了当代政治的道德危机。有的人说，既然我经济部长的职位拜总统所赐，那么我就应该像机器一样服从他，放弃个人观点和事业，与他共进退。当他们说这些的时候，真正想表达什么呢？是想说国家利益应该让位于私人恩惠吗？更让我震惊的是，这些中伤我的人竟然无知地承认，对他们来说，政治

1　马尔罗（1901-1976），法国小说家、评论家、政治家。

也有潜规则：只要乖乖服从，就能分到一杯羹。在我看来，如果说今天的法国民众已经放弃政治，或者正在走向极端，就是出于对这类官僚之风的本能厌恶。

至于后来共和国总统说我欠他个人情，我权当这是无心之语。因为我深知他十分在意维护政府公职的尊严以及共和国政治生活的核心价值，绝不会（哪怕是一瞬间也不可能）认同这种施恩图报的观念。正因如此，我虽不得不痛心离开，却仍对他满怀敬意。不管是最初在总统府内为他出谋划策，还是后来作为政府内阁的成员为国家献计献策，是他给了我为国效力的机会。

我忠于的对象仅限于国家，而绝非某个政党、某个职务或某个人。我之所以接受这些公职，是因为它们为我提供了为这个国家服务的机会。从接受政府职务的第一天起，我便一直保持这一观点，从未改变。后来，我的变革之路上出现了阻碍，这些阻碍包括冥顽不灵的思想、老人当道的政府、匮乏的想象力、笼罩社会的精神麻木等，一切迹象似乎都在向我表明时局不再，我斟酌再三，随后提出了辞职。在我的观念中，政府的举措既不是用来美化个人政治生涯的，也不应成为论资排辈的资本，而是以服务为出发点，发动所有人出谋划策。其他的所有对我来说都不重要，批评和诋毁更不能动摇我，何况那些中伤者并非忠于国家，而是忠于一个可以确保自身利益和薪俸的官僚体系。这就是我们的现状。

过去这些年里，布丽吉特一直陪在我身边。我们于2007年结婚，这段最初要遮遮掩掩、不为人接受的爱情终于修成正果。

这是一场从一开始就备受阻挠的关系，在与命运和伦理的较量中，我应该算得上意志顽强。但我必须说，是布丽吉特给了我真正的勇气，以及包容一切、平和而又坚定的信念。

她当时已婚并育有三个孩子，而我只是个学生。她和我在一起不图财、不图名分，也不期望我带给她舒适安逸的生活。恰恰相反，为了和我在一起，她放弃了一切。当然，孩子始终是她的牵挂，她没有强迫他们认同，而是慢慢让他们明白，我们的关系虽然很难接受，却已成定局。

很久以后我才恍然大悟，正是布丽吉特那份决定拉近我和她家人关系的心意，造就了我们今日的幸福生活。在她的不懈努力下，她的孩子渐渐理解并接受了我们的感情，我们建立起了一个专属于我们的家庭（至少我这么认为），一个显然不能以常规眼光来看待的家庭。但也正因为这种非比寻常的关系，我们之间的纽带更加坚不可摧。

我一直很敬佩她身上的那种坚定和勇气。

首先，作为一名法语和拉丁语教师，她始终兢兢业业，对这份从30岁起就开始从事的工作充满了热爱。我曾亲眼见证她不遗余力地帮助有困难的青少年，她的敏感使她能捕捉到这类学生细微的精神裂痕。因为在她充满活力的坚定外表之下，有一方敏感的净土，一方只有脆弱的灵魂才能进入并找到知音的净土。

作为母亲，她也表现出了同样充满关爱的坚定。她在生活和学习上无条件支持每个孩子，是他们的坚实后盾，同时又对他们有着清晰明确的要求。塞巴斯蒂安、劳伦斯和蒂芬娜每天都给她打电话或者去见她，征求她的意见。布丽吉特就是他们人生中的指南针。

渐渐地，我的生活被她的三个孩子和各自的配偶——克里斯黛尔、纪尧姆和安托万，还有他们的七个孩子——艾玛、托马斯、卡米耶、保罗、伊丽兹、艾莉丝和奥莱力所填满。他们是我们努力奋斗的意义所在。家庭是我的根，是生活的基石。我们的经历赋予了我们绝不因循守旧、随波逐流的顽强意志，让我们相信只要足够坚定、足够虔诚，一切都有可能。

CHAPITRE

02

第二章
我的信念

　　我在上一章简单介绍了一下我的人生经历，至少是从政之人应该呈现在公众面前的那部分。我有时会觉得这样做很有必要，因为最近的经历让我时常被误解为是一个野心勃勃、急功近利的人。但我自知并非如此。我只是在很年轻的时候就找到了自己应尽的社会义务，不仅仅是为了我的家人或老师，也为了世代传承前人历尽千辛万苦留给我们的对自由的热爱。

　　我知道自己不能辜负那些信任我的人。

　　更重要的是，我绝不能辜负我们的国家。正是这样的使命感促使我采取行动。

　　在这一动机的驱使下，我无法向一个从未真正把我纳入其中的政治体系做任何贡献。我之所以选择对抗政界的潜规则，是因为我从未认可过这类规则。我对民主有信心，坚信处理好与民众关系的重要性。我认为必须重新学会与法国民众直接沟通，倾听他们的声音，关注他们的期望，与他们理智对话。这是我做出的选择。我的"野心"就是与同胞们直接交流，并呼吁他们也参与到变革中来。

我认为我们的国家不应再固守论资排辈的等级制度——认为一个人只有在政界打拼一生才能觊觎高位。在挣脱体制束缚的前提下，深入了解法案制定和政府决策背后的细节，只要做到这两点，我相信就能无往不胜。起码，在我引领的这场斗争中是这样的。

法国目前的状况并不理想，也支撑不了很久。遇到重大事件时，我们总是蜷缩在可悲的负面情绪里——嫉妒、怀疑、内讧、心胸狭隘，有时甚至是卑鄙无耻。这与先辈们传承的快乐情感背道而驰，他们总是对自由、知识和共同性怀有无限的向往。至于能不能找回这些令人沉醉的情感，就全靠我们了。我写这本书，正如我选择斗争的目的一样，为的是参与到这场必要的、势将拯救法兰西灵魂的运动中来。

政客通常很难说服民众相信他们描述中的自己，相信他们的施政方案。但他们没有理由抱怨，因为一个人不可能既享受权力带来的甜头，又同时获得民众的赞誉。其实，这种由声誉所带来的飘飘然并不高级：成为众人的焦点，如同旧时人们享受他人的伺候，陶醉于虚幻的名望之中……这种对声誉的沉迷相当危险，因为它会导致自满，让我们一不小心就在政治生涯中碌碌无为。实际上，在我看来，名声一文不值，唯有行动和成就才有意义。否则的话，一名政客的政治生涯就是不合格的。当然，也有很多议员代表其实都怀着行动和改革的热情在做事，却依然会被卷入民众的普遍不满中。我认为这一点确实有失公平。

政治不是、也绝不应该是一种"看资质的职业"。民主选举在我看来意义重大，法国有很多市长和地方代表都是通过民主选举选出的。我们国家共有大约60万个市长和地方代表，其中三分之二的人都在无偿工作。他们不计工作时间，随时都会面临指责，却仍然一心一意为民众服务。还有许多在公职岗位上兢兢业业工作数十年的代表和决策者，也都是用同样的民主方式选出来的。他们靠公职养家糊口，所承担的风险其实更大，但出于对这个国家和对公共事业的热爱，他们依然选择从政。而我之所以会投身政治，也正是为了弘扬法兰西民族的伟大之处，开发这个国家的潜能。

为此，我们必须尽到应尽的义务。我国此刻正饱受质疑，经历着失业及其他物质和道德层面的问题。而这痛心的一幕通常伴随着各种舆论误导下的社会运动，以及某些政客的空洞宣言。面对这种状况，我无法听之任之。但这是否意味着我们必须要等某个人、某个政策或某场选举（总统选举？）来拯救呢？我不这么认为。因为我是一个崇尚民主的法国人。

作为民主人士，我相信民众的力量之大无法估量。

作为法国人，我认为法国的未来取决于我们是否能重现旧日辉煌，重现那段在世界舞台上傲视群雄的光辉历史。人们之所以喜爱法国，也是因为它在国际上的重要地位，其中包括它的立场、它的文化、它的力量、它的人民、它的语言和它的人才，这样的法国自然也是强大和骄傲的。此刻的法国蓄势待发，我们所需要的就是重建它的力量。这就是现状。

政治家的工作，尤其是政府的工作，并不是告诉民众该怎么做，或让民众服从，而是为民众服务。这意味着，即使经历了众多僵局和决策失误，我们依然选择相信民众隐忍的毅力。这股毅力尽管被掩盖起来，但它仍在那里，期盼着美好和正义。政府的职责不是制定法规、发布禁令，然后实行监控和制裁；也不是武断地判定某个社会团体无法独自运转，然后指手画脚，扮演监护人的角色。正相反，政府的职责是让这个民族重新获得创造伟大历史的动力，调动民间团体的积极性，鼓励他们进行尝试，最终找到合适的解决方案。戴高乐将军和皮埃尔·孟戴斯－弗朗斯[1]说得比谁都好：政治必须接受现实的考验。这也是我的观点。

政治家的义务更不能被简单地总结为执行教条。固执的理论空谈绝非我对政治的理解，因为民众不希望再看到抽象的政治辩论，而是决策者赋予他们所做之事以意义，并寻求行之有效的具体解决方法。

投身一项事业并非易事，对政界人士来说更是如此。投身于政治，就意味着要跳出那些安全的思维定式。停留在固有的思维模式里固然舒适，却起不到任何积极作用。我所认为的有效想法，是所有能够让这个世界变得更美好、更公正的想法。

过去那些曾经对国家起过积极作用的重大政策都是在这一精神的

1　皮埃尔·孟戴斯－弗朗斯（1907-1982），法国左派政治家，曾任经济部长、总理等职。

引导下制定的。戴高乐将军从幼年起就被法兰西帝国打上深深的烙印，他也清楚地了解这个民族的伟大之处，但他还是毅然选择放弃延续法兰西帝国的辉煌，因为他深知国家的未来在欧洲大陆，而不应受限于法国本土。皮埃尔·孟戴斯－弗朗斯极富正义感，他为了收紧国家预算，不惜同戴高乐将军本人唱反调。正因为他看到，在表面上的经济复苏背后，随意透支国家预算会给社会带来怎样的灾难。

我不能接受自己被卷入老派的政治分化斗争之中。然而我试图超越左右派对立现状的决心却被人们歪曲、丑化——左派控诉我是个崇尚自由主义的叛徒，右派则把我描绘成表里不一的假左派分子。但我无法眼睁睁看着自己对正义的渴望受到陈旧观念的阻挠。如果继续受这些观念支配，个人的主动性、责任心和创造性都将无法施展。如果说自由主义是对人抱有信心的话，那么，我愿意被划为自由主义者。因为我所捍卫的价值，必须能够确保所有人在自己的国家都能过上内心深处最渴望的生活。但另一方面，如果说左派主张金钱并不能赋予一个人所有的权利，资本积累不是人生的终极目标，公民自由不应成为一个追求绝对安全的社会的牺牲品，贫穷和弱势群体应在不受歧视的条件下得到保护，那么我也愿意被称为左派分子。

今天，我们的政治生活依然围绕着过时的党派之争进行着，然而后者已不足以帮助我们应对这个世界和国家带来的挑战。最初，左派和右派的原则性分歧在于是否拥护共和政体以及如何看待教堂的地位。后来，这两个政治派别的对立点逐渐演化为"在工业资本主义社

会中应当保护谁的利益"？左派认为应该保护劳动者，右派认为应该
保护生产资料拥有者。如今，左派和右派对以下这些话题的观点截然
不同：数字时代的人与工作；新的社会不平等；我们同欧洲及世界的
关系；如何在危机四伏的当代世界维护个人自由和社会开放。在这些
问题上，两大派别都没能顺应时代的变化，及时更新思想体系，参与
竞选的几大党派的做法永远是寻找差强人意的折中方案，对分裂绝口
不提，从而形成了止步不前的局面。

　　一个主张维护等级制度、关闭边境、脱离欧元区的保守左派，和
一个崇尚民主、改革、大欧洲的社会党左派，两者之间有什么共同
点吗？几乎毫无共同之处。正是这个原因使政府在过去四年中举步维
艰，无法行使职责。也是这个原因，使一些人的改革过程困难重重，而
另一些人则干脆放弃。同样地，一个煽动民族主义情绪、将欧盟视为罪
魁祸首、使用过激手段处理社会问题、在经济问题上又含糊其词的右
派，和一个支持大欧洲概念、自由竞争和开放的右派之间又有什么共同
之处呢？两者之间几乎没有任何共同性可言，这也是导致右派在2012年
大选中落败的原因。时至今日，右派内部仍就这一话题争论不休。

　　每隔五年，各个政党都要在内部重申纪律和团结的重要性。因为
唯有这样，才能在国民阵线党[1]甚嚣尘上的今日维持生存。我们的共

1　国民阵线党（Front National）成立于1972年10月，代表极端民族主义思潮，煽动排外情绪，党主席
为让-玛丽·勒庞。

和国早已被卷入党派斗争的游戏之中，并且泥足深陷。人们之所以会发明党内初选制度，就是为了让每个党派都推举出一个阵营代表。如今，各个党内已经人心涣散，难以达成思想和情感上的一致。除此之外，也为了避免第一轮选举中候选人众多，分散票数，以至于造成国民阵线党候选人[1]直接高票当选的局面。因为大家都看得到，国民阵线党几乎可以毫无悬念地进入第二轮竞选。

法国的政党因脱离现实而名存实亡，但他们仍寄希望于大选，认为胜出后便能苟延残喘。其实，正是这个新的选举制度导致了选民的民主疲劳和失望，进而导致政党自身的衰退，并助长了极端思想的蔓延。

自2002年4月21日经受精神打击[2]至今，我们的国家没有任何变化。政界和媒体共同将民众打造成了梦游症患者，他们选择对迎面而来的局势视而不见。他们有时也会愤怒，但并未真正考虑过后果。所以，人们最终选出的还是同样的几张脸，听到的还是同样的言论，政客们谈论的还是翻来覆去的那几个话题，给出的还是那些提案。那些提案在被实施前还会被修改一番，然后重新被铺天盖地的新闻报道评论。我把这种取代良知、诚实、才能和毅力的拉票方式看成是一种病。

在这些梦游症患者旁边，排列有序的则是那些玩世不恭的人物。

1　此处指让-玛丽·勒庞。
2　指让-玛丽·勒庞在那天的总统大选第一轮中胜出，获得进入第二轮的门票。

他们也为数不少。这群人明白需要改变现有政治体系，但他们又看不出变革会带来哪些实际的好处，便盘算着可以通过国民阵线党更容易地登上权力宝座。

如果我们不能冷静思考，那么明年5月后，或五年之后，或十年之后，国民阵线党就会上台，我们不得不承认这一残酷的事实。我们不能在每次恐怖袭击或竞选失败之后都使用同样的招数——一边号召国民团结，要求国家做出牺牲；一边又认为从政者还能像他们一直以来所做的那样坦然地处理事务。这将是一个前所未有的道德错误，我们的民众也很清楚这一点。我并没有抨击国民阵线党的选民，这是一种错误的做法。我知道绝大多数法国人投给国民阵线党，不是出于信念，而仅仅是为了向这个抛弃他们的社会体制表示抗议或怨恨。作为从政人士，我们应该跟他们聊聊生活，给他们重新带去动力和希望，并同那些利用民众不满情绪拉票的政党做斗争。

正是出于以上原因，我决定凝聚起一股名为"前进党"的新的政治力量。如今，被动保守派支持照搬过去；进步党派则主张改革，相信法兰西的未来在于紧跟现代化的潮流。"前进党"成立的目的并非是要摒除一切已有制度，也不是盲目追随这个世界的步伐，而是要直视并赢得这个世界。

CHAPITRE

第三章
我们是谁

我们今日所面临的挑战是——带领法兰西进入21世纪。

1914年，第一次世界大战让我们在嘈杂中进入20世纪。2015年，恐怖袭击又让我们在巨大的痛苦中跨入了当下这个新世纪，尽管我们至今仍然不能正视这一事实。

跨入新世纪，意味着我们必须在本性和使命之间找到平衡。

那么，法兰西是什么？我们又从何而来？我之前说过，从儿时起我就与祖国保持着最亲密的联系。这种联系是由法语建立起来的，法语便是将我们团结在一起的力量之源。正是这些在时间长河中经历了淘汰和新生的词语，衔接着整个历史。这一切都多亏了弗朗索瓦一世[1]在维莱科特雷做出的伟大决定——以语言为地基建筑法兰西王国。在古典主义时期，法语语言剔除了拉伯雷式的粗犷不羁，长期与各地方言共存之后，又将它们的细致和精妙收入囊中。直至今天，从布列塔尼到巴斯克地区，从阿尔萨斯到普罗旺斯，再一直到科西嘉

1　弗朗索瓦一世（1494-1547），法国历史上最著名也是最受爱戴的国王之一。

岛，许多人仍旧钟情于法语的千变万化，又对方言抱有深厚的情感。可以说，语言承载着这个国家的历史。

法语让我们能够自称为一个开放的民族。当人们学法语的同时，也在接受其中所承载的图像和记忆。一个学习法语继而讲法语的人，就自然而然成了法兰西历史的保管人，也就成了法国人。是的，对法国人的定义不应局限于身份证上的国籍。我就认识一些外国人——他们虽然不在法国生活，却因为对法国语言文化的热爱而早已成为法国人。辜负这样的热爱是一种莫大的遗憾，因为这会违背我们的使命。我一直很不喜欢"土生土长的法国人"这种说法，如果要重新定义的话，我认为它应该不仅仅指一个世世代代住在马延省[1]的人，更应当指一个无论来自哪里，无论住在哪里，都以讲法语而自豪的人。没有比听到圭亚那、加勒比海地区以及那些太平洋岛国的法语更让我感动的事情了。正是这些来自世界各地，分散在地球各个角落的人们所讲的法语，让我们依然可以作为一个伟大的民族屹立于世界民族之林。

我对法国最早的记忆，源自小时候家里驱车前往比利牛斯山度假的旅途中。前后不下十二次的往返如今在我的回忆里汇成一幅画面，那是一帧从亚眠到巴涅尔[2]渐渐展开的巨幅风景画卷。那时候的我是一个外省的孩子——我一直都更喜欢用"外省"这个词，胜过现在常

1　马延省为法国西部省份，位于巴黎以西250公里。

2　巴涅尔，法国南部比利牛斯山区城市。

用的"地方"一词。汽车驶入巴黎的那一刻，对于出生在索姆省的我来说，仿佛来到了一个充满着神奇和魔力的应许之地。如同穿梭在《亚森·罗宾》《基督山伯爵》和《悲惨世界》的书中世界一般，我会幻想主人公在某条街的转角处出现。驶出巴黎，接下来在旅途中领略到的是普瓦图[1]沼泽环湖礁的梦幻魅力、莫里亚克笔下的波尔多附近刺眼的日光、朗德[2]以及在当地的空气中弥漫的松节油味。最后比利牛斯山脉出现在我们的视野中，那里是我们旅行的终点，我们的世外桃源。

国家的生命力正是由个体的旅程构成。这千千万万的旅程，组成了一幅法兰西地图。这幅地图既是完整的，又充满了变化；既深奥奇妙，又简单透明；既是忠诚的，又富有反抗精神。我非常理解人们对养育自己的土地的依恋。每个法国人都有自己心系的那一方土地，那就是根所在的地方。曾经视巴黎为挚爱的安德烈·布勒东，到了洛特附近，第一次见到圣锡尔克－拉波皮小镇时，便大喊道："我不想再去别处了！"同样，当我凝视着法兰西那平静又转瞬即逝的灵魂，我永远不会感到厌倦。法兰西的历史地图就在这一次次的旅程中逐渐形成，它先于我们的记忆出现，是一份宝贵的遗产，是在忠于过去的基础上对未来的企盼。词语、土地、岩石和海洋共同组成了法兰西，但

1　普瓦图，法国中西部沿海地区。
2　朗德，法国西南沿海省份。

法兰西远远不止于此。

法兰西同时也是一个政权，是一项事业，一项以追求自由为己任的民族事业。

历史注定了我们是国家政权的子嗣，既不同于美国以法立国的历史，亦有别于英国通过海上贸易立足世界的历史。历史给我们留下的遗产既是美好的，同时也很危险。

法兰西民族是中央政权在征服疆域、颁布法规、均衡人权的过程中形成的。政府曾试图将共和国理念植入到各个行政机构中，但我们之后所经历的政治体制变动表明，找到中央和各个地方机构之间的平衡并非易事。1789年以后，法国民众选择了将历史的续写权交到政府手里。在我们现今的生活中，部长、省长、主任和市长等这类为大家所熟知的国家公职人物之所以显得重要，正是源于当时要把一个多样化的民族为了共同事业而凝聚在一起的传统。尽管这个民族的多样性使得它不像其他民族一样好定义，人们却被同样的使命驱使着，而国家也在时间长河中逐渐认可了个体在其民族史上的重要地位。

所以在法兰西，国家作为一个整体而存在，又同所有的个人和团体紧密联系在一起。

为了实现共和体制下的思想解放，国家曾采取过非常具体的措施：在第三共和国[1]时期，强调个人自由，发展教育；在人民阵线[2]时期，承认民众的社会权益；又分别在1945年和1958年，两次重振经济。虽然经历了众多制度变迁，国家却仍能运行，这是因为光明的未来就在前方，召唤着民众的拥护。这样的进步是民众看得见、摸得着的，实实在在的。在很长一段时间里，法兰西民众始终守着他们与世隔绝的小村庄，消息闭塞。待他们走出来，流动起来，国家才有了发展的可能。而为了让民众动起来，政府采取的措施是发展公共教育，发展包括公路和铁路在内的交通设施建设。这也是如今国家机关需要扮演的角色，那就是消除隔阂、保证开放、保证流动性、为每个人提供生活所需。尽管科技取得巨大进步，国家的任务却未曾改变——移动电话和固定电话的网络覆盖、汽车驾照、公共交通、共享出行、长途巴士、网络覆盖，所有这些都与过去完善公路网建设的需求如出一辙。

　　国家施行职能的同时也有潜藏的风险，需要我们采取正确措施对待。为了实现目标，我们的国家在一片赞同声中造出了一台臃肿复杂的政府机器，来确保平等和安全——这两个我们所珍视的基本要素。但是当计划不清，前景又不明朗时，机器就变得动力不足，它漫无目的地运转着，变成民族的负担。数以百计的政府机构本应予以精简，却依旧毫无意义地维持现状，公职人员在没有任何实际用处的事务中

1　第三共和国，1870-1940年期间统治法国的共和政府。
2　人民阵线，1935-1938年法国左翼党派和群众团体为反击法西斯势力、实行社会经济改革而组成的统一阵线。

忙忙碌碌。各种规定泛滥，条条框框制约着一切，因为起草一条法规法令远比指明国家的发展方向容易得多。公务员在其中找到了自己存在的意义，而政客们则找到了维持自己特权的依据。公职的设立本有它的意义，可是现在维持它形同虚设的存在本身反倒成了常态。这就导致了国家因为政府部门而存在，而不是政府为了国家而存在。于是，现实渐行渐远，权力部门独自靠臆想搭建着职责机构。

但是，这种状况并非不可避免。有些人教条主义地认为政府就是万恶之源，然而实际上，应该从长期角度来看待政府以及它和历史的关系，审视这个权力机关提供的服务以及能够提供的服务。有些人认为，政府应该无所不能，哪怕国库空空也要为公共事业买单。另一些人则认为，政府是所有麻烦的根源，只有废除政府才能解决问题。而事实并非如此。

因为，正是国家机关将我们聚合在一起，并引领着我们向着共同的目标——共和制——而努力。

我担心，由于被滥用，"共和国"这个响亮的字眼已经让人感到麻木。人们通常能够说出什么不是共和，比如狭隘偏激、政治或宗教狂热、无视自由等，却说不出这个字眼究竟是什么。知识分子试图将它与"民主"区分开来，从而赞扬今天的社会多么民主，或者抱怨社会不够民主。一些聪明的头脑故作幼稚，对我们如此寄希望于共和国政体表示不解，难道是君主立宪制把我们吓怕了吗？我们又该如何正确看待在"共和国"政体下发生的那些不太光彩的往事呢？"共和国"这个字代表的不仅是人权宣言，同时也是旺代大屠杀、海外殖民、频频爆发的殖民战争、禁书运动、特别法庭，直至离我们相当近的年代发生的事件。不是所有好的都是共和的，也不是所有共和的都是好的。不然的话，我们大可为给德雷福斯上尉[1]定罪的共和国法院拍手叫好；我们大可保留苦役制和剥夺女性的选举权（共和党人在这样的政策下将就了几十年，直到戴高乐将军下令废除）；我们大可继续禁止人工流产（这一禁令直到瓦勒里·吉斯卡·德斯坦[2]听到了妇女们绝望的呼唤才解除）；我们也大可保留直到弗朗索瓦·密特朗任期内才被废除的死刑。那么，共和国到底是什么？

我们热爱的、并愿为之奉献的共和国，是能够解放全民的共和国。它会把我们从宗教或政治迷信中解救出来，从社会偏见中解救出来，从所有那些在我们毫无察觉的时候奴役我们的势力下解救出来。共和国意味着我们的努力，一种未完成、尚待我们去实现的努力。

法国有一首《出征歌》，听上去很普通，一般人几乎不会注意它的歌词。"一个法国人必须为共和国而活"，这句歌词讲述的与其说是一项义务，更像是一个事实。长久以来，法国人一直为了解放和自由而活。"拥护共和国的是男子汉，甘当奴隶的是毛孩子"，法国人民知道在暴政下无法生存，这其中不仅包括国家权力的暴政，还有过

---

1 德雷福斯，犹太籍陆军上尉。1894年被诬陷犯有叛国罪，后在复审中被平反。
2 瓦勒里·吉斯卡·德斯坦（1926- ）1974-1981年期间任法国总统，代表右派政党。

时的政府架构、偏见和压力集团的暴政。共和国，就是绝不向任何有违我们价值观的言行让步。共和国，就是我们集体荣誉的象征。在一封战地书信中，获得解放勋章[1]的迭戈·布罗塞将军临死前给他的纵队司令如此写道："没有人会想方设法，说服自己去服从别人。"

这个从骨子里拥护共和制的法兰西也有敌人。共和党人绝不会因为图省事而不一一指出他们。这些敌人虽然形形色色，却有个共同点：都是些做白日梦（有时甚至是不惜犯罪的白日梦想家）的家伙，是清教徒，是留恋过去的乌托邦主义者。他们自以为手中握着同法兰西的前途有关的真理，但这些所谓的真理其实非常危险，甚至可以说是颠倒黑白。法兰西唯一需要的真理，就是通过我们的共同努力，让人民获得自由、过得更好。唯有这份努力，才能引领我们走向光明的未来。而这些共和制的敌人，则妄图通过描绘今日和明日的共和国景象，将共和国囚禁在一个武断而又脱离时代的定义中。这些敌人中，有妄图征服共和国的伊斯兰极端主义者，事实证明，他们只会给共和国带来灾难和奴役；有国民阵线党，他们打着荒唐的怀旧标语，试图煽动我们放弃真正的法兰西，倒退至某个从未存在过的状态；也有认同极右派，同他们穿一条裤子的人；最后还有一帮逃离法兰西或者瞧不起法兰西的厌世者。是的，我们的敌人不少，但都不足以阻挡我们前进的脚步。

1　解放勋章，二战期间由戴高乐将军设立，以表彰为法国解放做出杰出贡献的个人、部队或城市。

　　正是对这个目标的不懈追求，使得法兰西在几个世纪以来都在世界上享有极高的地位和影响力。从文艺复兴到启蒙运动，中间经历美国革命，再到人权宣言和反极权主义，法兰西为这个世界照亮了前行的道路，将它从愚昧的枷锁、宗教的奴役和否定个人价值的暴力中解救出来。法兰西精神还有着胸怀世界的抱负，它既是对不公和盲从的愤怒宣泄，也是向世人宣告它此时此刻心系世界、为全人类谋求福祉的决心。狄德罗领导的百科全书派的思想就体现了这种不可思议的雄心壮志。这个雄心壮志如果需要用一个词来定义，那便是"世界大同"。显而易见，故步自封恰是这一志向的绝对对立面。

CHAPITRE

04

第四章

巨大的变迁

　　法兰西正饱受磨难：对现状的不满、因前路不明而感到不安、无法掌控自己命运的惶恐以及日渐淡化的民族个性。从我刚开始能听懂政治言论那时起，一直在耳畔反复出现的就是这句——我们的国家正经历危机。这便是法兰西不幸的症结所在。

　　我们正在迈入的这个时代让很多同胞深感不安，甚至被他们看作是对自身信念的威胁和攻击。如果说文明是历史演变的进程，是一个代表着物质、社会、文化和政治进步的过程，那么对于多数同胞而言，当代的文明则是倒退、失控、焦虑和动荡不安的同义词。是否可以改变这个世界的走向呢？我不这么认为。但是，如果我们下决心弄清楚这个世界发展的原动力，我们就能深刻地改变它。

　　在我们所进入的这个时代，社会的范围不再是单一的国家，而是整个世界。这个社会由贯穿世界的、分秒不息的商品流、劳务流和货币流所组成。这些流通原本在各国国内进行，各国政府有着自己的一套解决民生问题的模式。近几十年里，商业和金融的运营规则渐渐统治了全球。在这样的大趋势下，政府开始滥用职能，或试图抵制，或在半失控的状态下随波逐流。

我就是在那些遭受了这一趋势带来的负面影响的地方长大的。无论是亚眠还是巴涅尔，它们原本都是传统纺织业圣地，但从我童年时代起，数以万计的劳工被裁员。因为老工厂和毛纺制造厂竞争力大不如前，买家们可以从马格里布、东欧、中国、越南买到更便宜的衣服。今天，只要同洛泽尔或其他任何地方的养殖业者聊一聊，就能够直接感受到全球化导致的惨痛后果：当前的形势迫使他们不得已将牲畜以远低于30年前的价钱卖出去，根本无法维持生计，与此同时，投资却越来越大。

商品、劳务和货币在全球的流通不断加速，它造成了国家、企业和研发中心之间的互相依赖。但是，这种全球化和互相依赖的结果也不完全是负面的。有近两百万的法国人进入设立在法国的外企工作，数百万同胞的生计依赖于国家的出口贸易。就在我之前提到的巴涅尔附近，全球化让航天产业得以迅速发展。空客公司和许多其他企业非常有远见地抓住了投资机会，开拓海外新市场。如果说摆脱全球化就能让我们的日子更好过，那是谎话，并且是罪恶的谎话，因为脱离世界可能会制造更多的牺牲者。

这些巨大的变迁终止了过去几十年间持续性的经济发展和进步，取而代之的是由科技断层而带来的更快速、更多变的经济模式。我们的前辈曾经历战争和贫穷，日子比现在更难熬，但是他们有进步的曙光支撑自己前进，对进步的信心让他们在心理上对未来有所展望，使他们内心坚信——只要肯努力，明天就会更好，下一代的生活也一定更美好。在那几十年里，法兰西得以重建，人们对以弥补战争损失和实现伟大事业为目标的经济制度深信不疑。如今，这样的年代已经过去了。那时虽像今天一样，也有艰难时期，也有一些地区不得不忍受当地工业因为大环境的变迁而破产倒闭的现实，但至少产业转型和进步的希望依然存在。然而今天，持续的危机感已在人们的心中牢牢扎下了根，对自己和后代的担忧随之而来。如今几乎已经没有人还相信经济增长能挽救集体的命运了，那些还心存希望的少数人要么并不清楚如何实现经济增长，要么异想天开地以为只要关闭国门、靠神灵助力我们的国有产业即可。

在此基础上，国际金融的飞速发展更是加快了经济全球化的脚步，并加剧了它的影响力。金融系统原本伴随着商品贸易应运而生，如今作为一个独立行业取得了巨大进步。这种进步当然有正面的影响，因为它使我们能更快地、以更优惠的条件筹措资金，但它同时也滋生了一批以投机倒把为目的，完全不创造任何实际价值的职业，满足一部分人的贪欲。这种状态导致不少民众对金融业持全盘否定态度，然而事实上，我们又是需要金融业的。每逢年底，我们都会从金融市场借钱以支付国家公务员的工资，企业之所以能开发新客户和雇用新员工，也全靠金融业的重大作用。因此，在这个问题上，我们要保持清醒的判断——反对无实际价值的金融，鼓励对投资有益的金融。

自2008年的金融危机以来，我们所采取的措施却恰恰相反。一方面，我们没有阻止那些过分的投机行为；另一方面，我们又增加了对银行和保险业的约束，而这些机构又恰恰是为国家经济提供资金的关键环节。更重要的是，我们应该在欧洲和世界范围内与金融投机行为做斗争，这种斗争不仅仅局限于技术层面，同时也波及政治和道德层面。这一状况让很多民众愤愤不平，因为某些决定过于草率，仅在法国有效，或只能惩治极个别人，而没有解决任何问题。它们只是暂时安抚了我们伤心的情绪，并无任何实际意义，我们真正需要的是一些国际性措施和普遍认可的道德标准。

近15年来，随着网络和数字化的发展，全球化终于进入了一个新的转折点。我们看到一些新的领域，这些新方法、新标准不仅颠覆了我们的组织机构，也颠覆了我们的想象力。人们的生活习惯正在发生变化——越来越多的法国人开始在网上订餐、购物、支付、预定火车票和其他出行工具。我们的生产方式也在发生变化——电脑软件和网络带来了一种新的自动化方式。这个未来产业正在改变企业，它一方面减轻了体力劳动的强度，另一方面又督促员工加快受训速度。现在，3D打印技术使我们能够在离使用现场最近的地方直接进行小批量生产，这让我们必须重新审视以前那种在地球另一端生产、然后在本地消费的物流模式。

职场也在发生变化。据分析，未来几年里将出现几十种10年前根本不存在的新型职业，如社群管理者、大数据处理专家，等等。与此同时，经济中的某些产业块可能也要遭受重大调整。据研究表明，

10%到40%的职位将在未来的20年里完成自动化。在银行和保险业，三分之一至二分之一的现有职位将在5到10年间逐渐消失。今天许多员工做的重复性劳动，将由机器人和电脑程序代替，这样效率更高、更可靠、成本更低，而且可以昼夜不息地进行。所以，数字科技将颠覆人类的生存方式。一些中产阶级，尤其是工薪阶层的职业将受到威胁。而一些原来不需要什么资质，或原来对资历要求较高的岗位上，将有新的机会出现。但问题是，我们的民主恰恰以中产阶级为基础，他们既为自己、更为孩子的前途担忧。

我们在其中打拼了数十载的职场正在发生翻天覆地的变化。企业将不再是在长期雇用合同制约下让人辛苦一辈子的地方。工作时间和工作地点将会被拆散：须在企业内部进行的工作，应在客户所在地履行的项目，在共享工作地或可在家里完成的任务。人们将越来越频繁地更换企业、行业、职位。这样的演变是不可避免的。

同样，我们的研发方式也在经历一场革命。学科间的界限逐渐削弱。基因工程、纳米科技、网络连接和大数据处理等学科之间的融合使过去无法想象的发现成为可能。数据的产生越来越快。我们在近几年里生产的数据量比人类诞生以来创造的总和都还要大。得益于这些革新，某些疾病的治疗才找到了出处。我们的认知正以前所未有的速度在发展。与此同时，一些新的研究崭露头角。其中有些是十分令人担忧的，如"超人类""增强人"……

这场技术性变革将继续对我们的生产系统和我们的社会产生重大

影响。我们目前尚处于人工智能发展的初期。今天人工智能帮助我们提高了生产力，替代重复性工作以及某些人工岗位。不久后它将可同人的智力相媲美，并造成多方面的社会影响。显然，我们此刻就必须做好心理准备，以面对这些我们尚无法辨别好坏的颠覆性变化。考虑到这个趋势可能会引起的伦理和文化争论，届时政府将会发挥决定性作用。

最后，我们的想象力也正经历着深层次的变革。有了网络，从今以后人们就能无所不见、无所不谈，并可将自己同世界其他地方的人进行比较。它给人一种一切皆有可能的解脱感，拉近了有同样爱好的人们之间的距离，也让敏感的问题变得更敏感，并残酷地将社会不公和贫富差异展现在人们面前。它让最穷的人看到最富有的人的生活方式，这可能会助长失落感甚至暴乱。它传输色情画面，对此人们尚未完全意识到其严重性。还有一些暴力犯罪团伙通过网络传播极具冲击性的画面，借此机会转型和壮大自己。所以，数字化有这么一个特点：它既可帮助实现最美好的理想，也能造成最可怕的后果。

数字技术不是一个经济部门，而是一场经济、社会和政治体系中的深刻变革。它通过为个体提供各种可能性来消除隔阂，同时又通过重建小团体和封闭圈子建立起隔阂。这是一种权力相对分散的组织结构，在那里每个人都可扮演一个角色，并掌控一定的权力。当每个人都有一席之地的时候，也就有了更多的观点产生。所以，不难看出，这个时代面临的挑战既是全球化的，同时又是个体化的。它削弱了各种社会的，尤其是国家的传统意义上的中间组织机构。它彻彻底底地超越了国家的范畴。

另外，我们的社会正在经历一个人口方面的颠覆性变化：发达国家的人口老龄化、发展中国家的人口过渡期和全球人口的增长，这些现象引起的深远变化已然开始，并将继续冲击着我们的组织机构和日常生活。

同时，我们进入一个高风险的时代。战争从古至今一直都有，是历史进程中不可避免的。但是，今天又有新的风险出现了，而且也是全球性的，并且我们已完全意识到了这类风险的存在。

环境问题已经变得无处不在。它们主要通过以下两种形式表现出来：一种是剧烈的、看得见摸得着的灾难，如1984年在印度博帕尔爆发的毒气泄漏事件，1986年在苏联发生的切尔诺贝利核电厂爆炸，以及2011年日本福岛的核电厂事故；另一种则是潜在的，如由气候变暖、地表植被变化、饥荒、干旱和其他自然灾害引起的自然物种的逐渐消失（1970－2012年间，脊椎动物、鱼类、鸟类、哺乳类、两栖类和爬行类动物数量减少了58%）。

这些环境问题是人类活动直接或间接造成的后果，并且在未来只会日益加剧。环境问题正在、并将继续引发更多的不平衡和战争。人们会设法攻占其他的栖息地。而这些生存迁徙将对我们造成最直接的影响。

地缘政治风险则更为突出。自从柏林墙倒塌之后，许多评论家认为，我们已走到历史的尽头。西方世界不会再有大规模的冲突，可以免受地缘政治问题的折磨。实际情况完全不是如此。我们的民主不得不同恐怖主义风险并存。继基地组织和博科圣地之后，达伊沙恐怖组织[1]这个毒瘤又企图置我们于死地。即使它在叙利亚和伊拉克正在后撤，并且可能在未来几个月里退回到最初的地下状态，却仍在我们的社会内部向恐怖分子提供武器。而后者则在一种极权和致命的意识形态影响下，不加区别地杀人。法兰西正是他们的主要袭击目标之一。也正是这样的恐怖主义危机提醒着我们：这个世界是个整体，我们无法避开那些正在割裂世界的大动荡。我们不能因为远离恐怖活动的发生地就选择袖手旁观，因为这些恐怖活动对我们的社会有直接的影响。至于说我们无论在什么地方什么情况下都必须介入，我也不认同这种说法。

恐怖主义活动动摇着我们的国家，对它的团结和稳固都造成了巨大的影响。尤其当宗教介入到了这场军事、政治和意识形态的斗争中时，一切都被混为一谈了。比如，很多法国人都错误地认为，与达伊沙的战争就是与伊斯兰的战争。

我们所面临的危险不仅有恐怖主义活动，还有宗教战争。如果我们对此不加提防的话，很可能会面临由空想和狂热引起的冲突。我们当下最急需做到的是判断清楚形势。

1　原伊斯兰国，从伊拉克起源，发展至叙利亚，再到今天的利比亚。

今天，政府被要求保证杜绝所有的风险。事实上，这样的承诺即使做了也无法兑现。

某些政客最终选择给出了无法兑现的承诺，这其中左派右派的都有。他们建议放弃法治国家的某些原则，以便更好地保护我们的同胞。实际上他们并不能更好地保护民众，因为他们根本无法阻止突发事件，也不能掌控每个人的行踪。但如果真按他们的建议做了，倒是正中恐怖分子下怀，因为后者就是要看到我们因为害怕而放弃信念。另一些则认为可以通过对宪法象征性地修改疏导正在席卷社会的暴力行径。围绕取消国籍法案的论战就源于此，有害无利。

实际上，面对这些危机时，我们固然需要永不妥协的坚定态度和真正的威信。但同时我们也要承认，即便如此，问题也不可能被立刻彻底解决。建立一个和谐社会需要更多的时间。

我们目前所经历的这场巨大的变迁对我们的时代来说是个巨大的挑战。它推翻了法兰西在第二次世界大战后形成的所有认知和制度。

我们目前正处在全球资本主义的尾声，四处泛滥的暴力行为预示着它的穷途末路。过度金融化、不平等、环境破坏、世界人口不可遏制地增长、地缘政治原因和环境因素引起的越来越多的生存迁移、数字化变革，这一切所引起的颠覆性变化迫使我们有所行动。自发明印刷术和发现美洲大陆以来，我们可能还未曾经历过类似的时代。话说回来，西方世界的文艺复兴正是在这样的颠覆性变迁中应运而生的，给当时的社会、政治、想象和艺术架构注入了新的生命。否则，我们早就消亡了。

这场深刻的变迁要求我们所有人都行动起来。无视世界的变化，只是凑合修补我们过去的模式，这不是法兰西。忘记我们的信念，否认我们的原则，像蝴蝶那样在恐怖主义的黑暗笼罩下惊慌失措，这也不是法兰西。一日比一日自我否定，无法兑现给出的承诺，这更不是法兰西。法兰西的民众对此十分清楚，并已做好重建家园的准备。

CHAPITRE

05

第五章
我们所期望的法兰西

摆在我们面前的任务十分艰巨。如果我们对周围正在发生的变化缺乏清醒的认识，如果不能下决心摆脱我们长期累积起来的思想惰性，要开始这样的任务是不可能的。

除了那些有名有姓的敌人，我们还有一个不容小觑的对手：惰性。惰性往往比敌人带来更多的伤害。多达六百万的求职者、被遗弃的工业、过时的政府作风、无法解决任何问题的内部分裂以及无数不明来由的国债……面对这些，大家都选择睁一只眼闭一只眼。人们已经习惯了落伍的教育系统、过时的行政区划以及19世纪法律规章体系，这种法律体系与其说是为了确保重大原则的权威性，不如说是为某些从中牟利的人提供便利。同时，我们对行政部门的低效也选择了默默接受。

这一现状不仅令民众绝望，对那些将服务公民作为崇高事业的人来说，亦是如此。他们之所以投身政府工作，不是为了谋求社会地位，而是希望在各自的岗位上极尽所能，为实现民族目标出一份力。然而，他们的使命感、他们的干劲、他们的奉献精神，每一天都要面临来自思维惰性和毅力不足的阻力。这种惰性需要被终结。

我们也不能任凭极端主义者为所欲为。他们试图说服我们回到"完美的"旧秩序，而事实上这种秩序从未存在过，这种许诺也是自相矛盾、无法兑现的。他们提议让法兰西脱离世界的潮流，却完全没有考虑可能要为之付出的代价。更重要的是，他们不敢承认自己的提议违背了法国的使命。

这就是法国目前的状态——停滞不前，同时又因这种静止而备受煎熬。但凡有人想着手做点什么，反对者即应声而起，指责说会毁了法兰西模式。而事实上，这个模式已经是半途熄火的老爷车了。有人试图"革新"——就连这个词在法国民众眼里都因为被滥用而显得过时了——却又无法陈述改革的初衷和方向。但实际上，每个人都被这种近乎静止的状态、优柔寡断的改革折磨得痛苦不堪。这就是法兰西目前的矛盾所在。

我国社会架构存在的初衷就是要维护已有秩序，即便是那些对此有所诟病的人，也仅限于指出问题，而不会真正做出改变。即使人人都对现存制度不满，它却依然被理所当然地认为比任何一种新制度都更好。这就是法兰西——保护既定状态、既有利益、既有社会地位、既有金钱收入和知识产权。可是在另一方面，这个人人都希望维持的不公平体系，恰恰又被所有人厌恶和抱怨。为了平息民怨，政府只好投入更多的钱，而这些钱又来自一个漏洞百出的税收系统以及对外巨额欠款。

几十年来，政客们除了通过增加财政支出来应对经济停滞、社会不公等现象，就别无他法了。30多年来，左派和右派轮番上台，他们解决经济衰退问题的方式都是国债。他们提供经济补助，却没有财政来源，唯一能做的就是将未来几代人的幸福作为赌注用来还债，完全不能从根本上解决严重的收支失衡问题。在上一届总统的五年任期内，国家开支增加了1700亿欧元。这个数字让人晕眩。在默默承受这一数字的同时，我们也犯下了最严重的错误——打破遵守财政预算的优良传统，将无法承担的债务留给后代，因为我们没有勇气直面现实。所有人都应为这种懦弱感到惭愧，一个国家是无法在惰性和谎言中混沌度日的。

在这方面，历史总是给我们以启示。我常会想到1453年君士坦丁堡落到土耳其人手中后威尼斯共和国的经历。1204年，第四次十字军东征结束后，威尼斯共和国作为一个海事和商贸强国，将全部精力投入到了丝绸之路的建设上。这是一座辉煌的沿海城市，已经开始向工业文明转型。除了几条通往香槟酒集市[1]和弗朗德勒[2]地区的道路之外，内陆发展完全被忽略。君士坦丁堡陷落后，这一经济模式也随之消失。传统的丝绸之路变得不再可靠，成本也更高。与此同时，印刷术问世了，旧世界看起来摇摇欲坠。威尼斯的前景不再乐观，人心开

1　香槟，中世纪法国行省，以香槟酒闻名于世，现位于法国北部偏东，属香槟－阿登大区。该地经常举办香槟酒集市。
2　弗朗德勒，中世纪国家，位于现在的法国北部和比利时南部地区。

始动摇。这时，威尼斯决心彻底改变，将目光投向了长期以来被忽略的内陆。它同热那亚、巴塞罗那和塞尔维亚联合起来，形成全新的经济轴心。1492年，一名为西班牙服务的热那亚人[1]发现了美洲大陆。1498年，葡萄牙人瓦斯科·达·伽马抵达卡利卡特，向世人证明可以从海上到达印度。陆上丝绸之路虽被废弃，远海贸易却借机得到了发展——威尼斯机智而又果断地顺应形势，完成社会转型。西方市场替代了东方市场，内陆发展替代了海上贸易，曾经的贸易场所变成人们愿意扎根定居的地方，商贸来往的途径发生改变，农业开始发展，灌溉渠如雨后春笋般出现。在一群年轻的能工巧匠的努力下，威尼斯重获新生，这些年轻人里有帕拉第奥[2]、委罗内塞[3]、乔尔乔内[4]等。他们是新时代的天才，因为他们，威尼斯才得以继续强盛，灵魂将不会泯灭。

在变革过程中，威尼斯丝毫没有放弃它精神和力量的源泉。相反，我们甚至可以说它从变革中汲取了转型所必需的能量。法国的未来也必然如此。

我们只要齐心协力，将中断的历史重新延续下去，就能够应对时代提出的挑战。这条流淌了千年的历史长河见证了法国曾经的辉煌：

1　这里指哥伦布，他出生于意大利热那亚。

2　帕拉第奥，16世纪文艺复兴时期意大利著名建筑师。

3　委罗内塞，文艺复兴时期的意大利著名画家。

4　乔尔乔内，文艺复兴时期意大利艺术大师、威尼斯画派画家。

我们实现了政教分离，迎来了启蒙运动，发现了新大陆，写下普世价值宣言，创造出全新的文化和强大的经济体系。想要延续这条长河，就必须有足够的能量。如今，这股能量已经在凝聚，它既深沉又遥远，而政治的使命就是让它最终能够发挥作用。

正因如此，我不认为在竞选宣传中能提炼出什么真正有用的提案。我们正在经历的这个时刻是一个需要深度重建的时刻。

今天，我们面临的困境是无法决策、无法深入思考问题，这种局面下，最大的受害者是年轻人、受教育程度低的人、外国裔法国人以及我们的后代，是那些徘徊在劳动力市场上的临时工或短期合同工，是没有固定居所并在等待社会住宅被批下来的人，是被困在脏兮兮的、甚至条件更恶劣的居所里的人，是那些每个月被账单压得喘不过气来、难以为继的家庭，是受歧视的所有群体……如果不重建制度，这支受害者的大军就会发酵膨胀，同时伴随着整个中产阶级对未来的担忧。

每过去一天，我们的国家都因为无法适应世界大趋势而衰退更多。各种不堪的、触目惊心的社会不公现象随处可见，分裂着这片土地。

所以，我们的首要任务是重建一个公平而强大的法兰西。我们的责任是向法国民众指出一条通向这个目标的公共大道，一条所有人都可以走的道路。

那么，如何达成这一目标呢？

正如1945年的法国和当时的全国抵抗运动委员会[1]那样，今天的我们也必须从根本上改变逻辑，转换思考、行动和前进的方式。

我们必须从一个被动接受命运的法兰西，转变成一个主动选择命运的法兰西。我们希望掌控自己的命运，包括个人和集体的命运。我们抗议的极度不公，是指有些人有选择生活的权利，而另一些人则没有。在这个国家，有的人能够选择让孩子读什么学校、自己在哪生活、做什么工作、一家人去哪度假，而另一些人却只能勉强维持生计。

法国人崇尚平等，这种最真实、真诚的热爱造就了一个团结的法兰西。因此，面对接连不断的不平等待遇、某些人的厚颜无耻以及社会的不公，民众感到愤怒是合情合理的。最理想的民族莫过于此：在尊重公民个性的同时，又可以做到法律面前人人平等，甚至做到机会面前人人平等。然而，我们的现行制度已无法做到平等，财政上的入不敷出以及条条框框的制约使整个社会变得麻痹堕落、死气沉沉。

30年来，不论左派还是右派，都一致赞成推进统一化、无差异化和大众化的社会体制。我不认同那种容不得别人成功的所谓"平均主义"。同时，左派和右派都向民众承诺了更多没有实质内容的、分期兑现的权益，并哄骗民众说这是社会进步的体现。但是，在一个有数百万人没有稳定居所的国家，我们要如何看待所谓法定住房权？真正

1　指1943年，在戴高乐将军的领导下，由法国多个政党和抵抗组织共同组建的抵抗运动组织。

的平等不是写在法律条文里的平等，而是在执行过程中将所有人放在同一起跑线上，在医疗、出行和安全问题上给所有人提供同等支持，使每个人都能取得学业和事业上的成功。这才是一个政府应该为人民所做的——确保所有人在人生的每个阶段都能享有平等的机会和待遇，而不是承诺建立一个统一化的社会模式。

因此，我们必须从一个战后恢复的经济模式转向以创新为主的经济模式。今天，法国经济已经不像光辉30年[1]那样有很多宏大的项目，我们的目标不再是仿制国外原创品牌，而是实现自我创新。一个新的经济模式是否具备生命力和竞争力，关键在于它能否将企业同数以百万计的使用者的需求联系起来，从而形成一个权力下放，在这种横向经济模式下，消费者也是价值的创造者。然而，创新本身不是进步。如果为了创新而创新，这就像漫无目的地行走。真正有价值的，是我们如何运用创新，赋予它什么意义。我们不能天真地认为做到创新就可以高枕无忧，而是要以清醒的头脑对待创新，要让科技发展为经济、社会和环境服务，帮助民众获得更多自主行使权。

另一方面，行会性质的社会保障制度必须要被个人社保取代。全国抵抗运动委员会的成员们在制定1945年的战后协议前，曾仔细考虑过疾病、工伤事故和退休问题。为了应对这些问题，他们将社会保障制度建立在了一个原则之上：社会只向就业人员提供疾病、养

1　光辉30年，特指法国在二战结束后，1945–1975年这段经济高速发展的时期。

老和工伤保障，并且根据地位、行业以及职位的不同，保证程度有所区别。但当时的他们完全没有料到未来社会瞬息万变，工业活动骤减，人们生活在不稳定中。他们也从没想过，有一天失业率会达到就业人口的10%。他们无法想象今日劳动力市场的分化，临时工制度日益流行。在这种情况下，一个针对失业者的"后工薪"制度变得越来越有必要。

综上所述，我们的社保不能再只为某一群人提供保障了，因为不受保障的民众人数正在增加。为了回应这一不公平的事实，也为了帮助每一个人在这个高风险的社会生存，新的社会保障制度不应再因人而异，而必须更加透明和普及，让每个人都享有一定的权利，同时也都有一定的义务。

最后，我们必须由中央集权模式转向人们各尽其责的模式。继续由政府操控一切，将所有问题混为一谈，把公民视作被统治者而不是主动参与者，如果说这是最佳的社会模式，谁又会相信呢？法国社会有着无限的生命力，它不仅体现在巴黎、政府部门、卓著的高等学府和大型企业等传统载体中，更来自市井街区、乡村、年轻人、地方团体和小型企业。能拥有这样的能量，对于国家来说是无比幸运的！我们已无法像过去那样让政府单方面做出决定，以为这样就能应对时代提出的挑战。因此，面对一些至关重要的课题，如气候变化，我们必须动员所有民众参与进来。未来推动生产模式转变的力量，将来自企业、工薪阶层、消费者以及公务员。赋予尽可能多的人以行动和实现自我价值的权利，让所有人参与进来，尽到自己的责任，这是我们最刻不容缓的任务。

所以，此刻我们面临两个选择。一个是服下一种被称为"极端主义"的解药，如果病情没有加重，那么这种做法也许能推迟死亡时间。另一种做法是根据问题的轻重缓急，优先选择几个领域，开始彻底重建社会模式，从而实现新的社会平衡。

用一味地妥协来应对民生问题的时代已经过去了，我们必须直接改变思维模式。

将一个分化的法兰西重建成一个和谐的国家，就必须满足民众对公平公正、繁荣社会的期望：自由——创造、行动和创业的自由；平等——机会面前人人平等；博爱——在整个社会弘扬互助互爱，尤其是面对弱势群体时。

若要维持法兰西的团结，就必须学会接受，也要学会拒绝：接受出身和命运的多样性，拒绝悲观的宿命论。这就是为什么我们要赋予所有人以自主权，要让每个人都在这个社会里有一席之地。我们的愿望是建立一个民族，这个民族绝非人人相同，却必然是人人平等。

实现这个目标需要10年的时间，而且必须从现在起就开始行动。

CHAPITRE

06

第六章

投资未来

如果我们想要成功，想公正地对待弱势群体，想维持法国的国际地位，我们唯一能做的，就是在自己的国家完成生产，从而为建立一个全新的繁荣社会提供必要条件。法国正在经历一段工业的萎缩期，这也是我们陷入困境的原因之一。但这并不意味着我们要重建二战后那个工业化的法兰西，这样做毫无意义。此刻，我们的目标应该是重新唤醒烙印在我们历史和民族血液里的——生产的渴望。

过去的工业化愿望，曾在科尔贝尔[1]时代体现在政府干预上，在拿破仑三世时期引领了工业革命，在整个第四共和国和第五共和国初期是国家走向现代化的动力。它一直激励着法国企业家和工薪阶层，也一直流淌在我们的民族血液中。法兰西一直以勇于创造、发明和革新而著称，并且积极参与到推动人类社会进步的建设中。

这个愿望曾激励了我们两百多年，相比之下，法国今天的现状尤

---

1 科尔贝尔（1619-1683），法国路易十四时期政治家、国务活动家，成功地壮大了法国的工业和贸易能力。

其令人沮丧。从2000年起，我们在工业领域就撤销了近90万个就业岗位，工业生产在国民生产总值中所占比例从17%降到12%。所以，当务之急就是要重拾往日的壮志雄心。

从社会层面来讲，重拾生产梦也迫在眉睫。如果放任法国工业陷入失控状态，我们拿什么来担保自己不会放弃弱势群体呢？真正的繁荣首先来自生产，然后才是分配。没有生产，就没有所谓的社会模式。

为了实现生产，第一步要选择正确的经济政策。然而，近30年来，我们缓解经济压力的方式是增加财政支出。政府在提供社会补助时十分慷慨，却未曾深究造成高失业率的根本原因；在维持住房补贴的同时，却没有人真正关心过社会住房的建造问题。总之，我们建立起来的是一个旨在应付现状的支出模式，而不是旨在带动生产的支出模式。今天，这个模式已经走到尽头，目前我国的负债率已经不容许我们继续以增加赤字的办法来应付日常开支了，法定税率也不容许我们继续从纳税人那里搜刮更多的税金。这是否意味着，我们可以不假思索地砍掉财政支出，让政府抽身而出呢？这样做跟增加支出一样荒唐至极。仅以教育、医疗健康和能源转型等领域的情况为例，这些行业的投资需求超过以前的任何时期，绝对离不开政府参与，同时，政府干预也还有一定的进步空间。

我始终不明白，"增加支出"派和"缩减支出"派之间的争论意义何在。我觉得这个命题本身就是一个错误。前者认为只要增加财政支出就能支援经济发展，却不考虑财政赤字的现状；后者认为只要不顾一切削减支出、压缩赤字，日积月累就能让经济回升。这两派的想法都不够严谨。一方面，在如今这种过渡期，苛求政府财政收支平衡并不合理。另一方面，完全不考虑财政支出的数额及效益，不考虑各项税收水平和其他社会缴费，也实为不妥。

我倾向于在一定程度上削减政府开支。比起一味缩减财政赤字，政府更应该引导国家预算账户做出正确的支出选择，而我们是可以在不影响经济增长和必要的社保制度的前提下做到这一点的。目前我国的政府支出占国内生产总值的56%，而与我们享有几乎同等社保水平的其他欧元区国家的平均支出是49%。我们要以坚定但合理的速度进行财务支出的缩减，目的是让政府支出的效益最大化。

我们应当优先考虑一些免税储蓄政策，并将责任下放到税收系统的各级参与者，而不是以零打碎敲方式来操作。在保证优先顺序和公平公正的前提下，所有行业、相关部门、地方政府和社保管理部门都应参与其中。今天，我们拨付的各类住房补贴总额已达180亿欧元，实际受惠者却不是接受补贴的家庭，而是房屋业主，同时还造成了房价上涨。面对这种不公仍不求改变，这样正确吗？今天，我们任由行政管理费用持续增加，投资性支出却在缩减，这样合理吗？目前，我国社保补助支出赤字总额已达40亿欧元，与此同时却将失业补助金的上限维持在6000欧元，这样行得通吗？如果我们能够在上述领域采取必要措施，就能降低纳税人的赋税。

短期内，我们要做的就是制定出能够实现这一目标的战略决策。针对支持"增加支出"的教条主义者，必须进行重大的结构性调整，有条不紊地仔细审核公共政策，果断削减效益最差的支出。针对支持"缩减支出"的教条主义者，必须让他们看清法国目前的经济现状——我们还没有完全从经济和金融危机中恢复过来，一些领域仍需要大量投资。仅仅为了让明年的财政赤字减少0.1%，就放弃前所未有的低息贷款的机会，从而阻碍能带来可观收益的投资，制约未来的经济增长，岂不荒唐？所以我认为，为了经济的发展，短期内我们应采取的政策必须建立在两个同等重要的基本原则之上：一方面在关键领域投资；一方面持续削减日常开支。

我认为有三个领域是我们的投资重点。

第一个领域，是一些经济学家口中的"人力资本"，也就是学校教育和职业培训。不光是学校、高等教育和科研研究的投资，继续教育方面的投资非常关键。唯有这样，法国才能具备在今后几十年内实现复兴的资本。在这个领域，我们正在为自身的滞后付出代价。这种滞后降低了国家和社会的生产力、创新能力和竞争力，引发了大量的失业，加剧了不平等现象。从财务角度来看，它甚至还带来了亏损：由于我们没有把钱投资到学校或职业培训上，我们现在反而要付出更大的代价来补救这一不足造成的损失。投资"人力资本"，也就是为法兰西的创新能力提供资金。比方说，在医疗健康相关的教育领域进行投资，会让我们在公立医院、化验室和相关企业中都有了不起的创新能力。

目前，我国用税收优惠政策来扶持科研，企业可以从公司所得税中提取部分资金，用于研发新科技，这让全世界都羡慕不已。不过我们的制度对于创新的发展仍然不够有利，比如资金申请周期太长，申请条件和标准过于复杂等。尽管世界首例人工心脏是在法国诞生的，但研发人员差一点就要将项目搬到国外去，就是因为程序太复杂了。因此，我们不仅要投资，还要大幅度地简化程序，才能做到扶持和鼓励企业创新，而不是带来束缚和阻碍。

政府投资的第二个重点领域，是环保转型。如果人们还在考虑眼前的蝇头小利，那我们就注定要失败。这种情况在能源领域尤其明显：那些尊重环境的企业和个人无法理所当然地从市场机制中获益，因而住房的热能改造和日常供电都需要政府的投资参与。在农业环保方面情况也是如此：一个农民自己未必有足够的资金来完成向绿色模式的转型，因为这需要整个行业一起配合。所以，我们的基础设施和交通应该覆盖国土的每个角落。为达到这一目标，也同样必须由政府牵头，协调和发动各有关方面，并为民间参与者指明今后几年的发展方向。在这些领域，国家必须介入，将正确的信息传递给对的参与者，投资、鼓励并促进创新，巩固环保税收政策，支持所有致力于低碳、环保经济的大大小小的企业。

第三个领域，是在法兰西各地铺设光缆。如今，铁路、电力、电视和电话都得以普及，光缆铺设也已经成为一项国家工程，尤其在那些偏远、封闭的地区。为了尽快地实现整个经济的现代化，并在几年之内完成关键性的科技大跨步，光缆是不可或缺的。担任经济部长的时候，我就积极落实了由通信运营商负责的光缆铺设。但是我发现，针对那些最偏远的地区，国家除了参与共同出资外，应该介入更多，比如在运营商无法铺设光缆的情况下，推广创新方案，用卫星电话等方式进行代替。

我希望确立一个以五年为时间节点的政府投资计划。唯有如此，才能满足整个法国及其经济主体的需求，才能让民众对我们的决策有足够清晰的认知。我也希望欧洲能尽快做出表率，但同时我也不愿在没有把握的情况下过久地等待。

当然，预算管理办法存在的意义是帮助我们减少财政赤字，削减因行政部门运行紊乱而导致的开支。不过这个规定并不妨碍我们抓住投资良机，所以我必须再次强调，不管是在国家层面还是欧洲层面，我们都必须区分开这两方面的需求：一方面对缩减和优化行政支出的需求，另一方面则是对投资和经济现代化的需求。

欧洲在这方面起着决定性的作用。如果我们想要为法兰西打造一个美好的未来，我们不仅要在法国进行深层改革，还应该在全欧洲加大投资力度。

同时，企业必须进行个人投资，通过这种方式获得资助的创新项目和创新业务将引领我们走向一个稳定增长的模式。20年前，法国输掉了推广自动化的战争。当时，法国政府收紧了在自动化技术研究方面的投资，以为这样做能够保护就业。然而事实上，德国工厂的自动化比例是我们的五倍，却比我们保住了更多的就业岗位。目前，他们的失业率几乎是我们的一半。今天，法国一定不能再错过向创新和经济数字化转型的机会。

因此，所有的企业，不论大小，不管是手工业作坊还是工厂，都必须重新整合扩大投资能力。想要做到这一点，它们需要清晰和稳定的政策引导，做出长期规划，预估投资金额，制订完整计划，继而进军新的市场。然而在今天的法国，企业需要花费太多的时间去熟悉那些变来变去的法律法规。在经济高速转型、大环境极度不稳定的现状下，政府部门能做的就是不要让自己变成经济停滞的原因，变成困扰。

有时，即使是好的政策也会因为大环境的不稳定而失去它原本的效力，变得不确定。否则的话，如何解释2000年以来，我国的劳动法被修改了50次之多？在短短五年任期内，一个行业的规定或一种税收的条例也被多次修改？

所以，我们必须定下一些简单的规则：一旦开始一项改革，就不要轻易修改已制定的措施，而是花时间去执行它们，然后再去评估效果。在一届总统的任期内，不要对某项税收进行多次修改。法规的频繁改动阻碍了经济活动的正常进行，从而打乱了某些经济版块，尽管这些变动的初衷大都是好的。现在，我国很多产业都深受频繁变动的法规所影响，如房地产、农业、旅馆业和餐饮业。在审核完现有的、但已不具备实际功效的规定前，我认为不应再增加新的规定。我们甚至应该要求所有经济主体和法国民众一同来指认那些已无实际用途的规定，同时要求政府公务员在实际工作中保持头脑清醒和言行一致。

我曾经参观过一家在欧里亚克附近的奶牛场，管理牧场的年轻经营者告诉我，有关部门两年前要求他在牛栏的入口处建一个消毒池，几个月后同一部门又撤销了这一要求，并以有卫生隐患为由，责令拆除了已经建好的池子。政府部门在下达命令时，并没有做出任何解释，变更时也未提供更多细节。这个荒谬的规定花费了他三个月的收入。在这种情况下，如何指望国家还有公信力？当政府部门无理由地给企业肆意增加经济负担时，如何指望企业还能对真正有用的改造进行投资？

为了在创新方面进行投资，企业需要减负，也就是说要缩减劳动力成本、能源成本和资金成本。关于这一点，目前这届总统任期可以说在缩减劳动力成本方面做出了较大贡献：加强企业竞争力、开创就业的税收抵免政策以及通过《责任和团结协议》，这些举措使企业减负，重新施展拳脚，并避免了大量失业的状况。

在这一问题上，我想表明立场。我希望减少对企业竞争力有损的税收，同时支持生产性投资。为此，我会通过发展竞争力和执行就业税抵免政策为企业减负，并且削减或取消雇主在社保方面的缴费。政府在其他方面节省下来的开支，以及更具导向性的环保税和消费税，将成为支持上述政策的资金。只有在这个条件下，企业才能招聘、投资两不误，这正是经济发展中的两大重点。

为了支持创新，只是维持法律法规的稳定性和帮助企业减负，显然远远不够——我们还需要鼓励和发展创业的能力。大家经常提到"初创企业"，这个词代表的远不止一个流行用语那么简单，它是一种新兴的企业，也是如今企业家的创业模式。

"初创企业"是经济变革和文化变革的催化剂。法兰西民族一直有个特点：一方面，我们谴责失败者；另一方面，我们又对成功者嗤之以鼻。这一悖论将会带来致命后果。对失败的畏惧印刻在孩子的心灵深处：在学校，对优秀的定义只有一个标准，考试不及格的学生必须时刻面对自己的失败。其结果是，年轻人对自己失去信心，不敢进取拼搏。出于这个原因，我认为应该在大家心中建立这样的意识：一个人会失败，至少说明他曾经尝试过，而一个失败过的人，比那些从未尝试的人有更大的优势，因为他积累了经验。同时，我们也必须认可成功，学会承认和赞扬在各自领域取得成功的人，它是硬币的另一面。所以，让我们名正言顺地为法国所有的成功事例鼓掌，不管是创业方面、社会方面、知识界、体育界还是文化界的成功。

为了帮助和发展自主创业，我要在法国做两件事。

首先，用税收政策奖励勇于承担风险，奖励那些靠才能、努力和创新致富，而不是靠收租和投资不动产发家的行为。我们的税收政策（包括目前的财产税），不应再对那些在有生之年事业有成，并投资创新的企业家加重征税。

其次，我们需要一个让企业快速并大量融资的渠道。这对于一个知识经济的时代来说是不可或缺的。比如，在同行也可以提供相似水平服务的情况下，为什么优步成为法国如今最主要的出租车公司？因为优步已经筹集了几百亿欧元，而其他法国企业只筹到了几千万欧元。所以，问题的关键就在于——如何快速并大量地筹集资金。

另外，如果国家不对一些企业进行适当保护，并用同样的规则约束它们，那么国家未来就不会再有任何投资。要做到这一步，首先要靠公平竞争原则。在我看来，这是一个关键性的工具，而我们却经常人为地将它同工业政策对立起来。实际上，公平竞争的政策让小企业和新兴企业能够通过奋斗、努力和创新进入市场。否则，市场就会被那些串通一气的现存企业盘踞、垄断。公平竞争政策不容许串通，而是鼓励自由，这一点非常重要。

如果我们不能保护农业生产者免受销售商的压榨，不能确保公平竞争以避免一些大型商场互相串通、压缩利润空间，那么这些农业生产者又怎么能创新、为更新生产工具进行投资呢？可见，公平竞争是创新的必要条件。

国家的另一个责任是让企业能远瞻未来。

还拿农业来举例。农民为了生存，常常需要更新生产工具，一方面可以获得更好的收成，另一方面还可以降低生产成本。同其他经济主体一样，农户也需要有稳定的环境才能制订未来几年的生产计划。这个行业的特殊性在于，如果我们不对市场进行调节，帮助他们克服价格波动，仅凭他们自己是很难再实现投资的。国家必须通过行业协议确保政策的稳定性，从而保护必要的创新。

当然，外国的恶性竞争也不利于创新和雇用员工。所以，我们必须强调遵守游戏规则的重要性，坚定地与欧盟站在统一战线，一起应对所有的恶性竞争。在这方面，欧洲的经济主权起着决定性作用。当亚洲或美洲的大型企业不遵守游戏规则时，当某个关键行业需要被保护时，政府部门必须发话，必须负起责任。担任经济部长时，面对互联网巨头的竞争，我也尽力维护手工业者和商人，主张创立一个对他们有益的经济模式。这意味着要消除这些企业发展的障碍，其中首先要解决的就是名目繁多的标准和赋税，而谷歌、苹果、脸书和亚马逊这些知名互联网企业却不受这类标准和税收的制约。

还有一些行业是不能完全听凭市场机制的自由发展的。在保护国家主权这个问题上，我们必须头脑清醒，用尽所有政府可动用的手段：直接支持、国家参股、外国投资审批制度，等等。凡是同国防相关的行业，显然对我国的军事主权有举足轻重的影响，国家更应该以客户的身份，直接支持军事项目的发展。在这个行业，国家必须保证自己在几家关键企业的股权，并密切关注私人企业中股权结构的变化。涉及到原材料和能源行业时，国家也必须控股，因为这事关我们发过的能源独立、环保政策的可靠性、所有企业的生产成本以及民众的购买力。正因如此，不久前国家对核工业进行的重组是非常合理的，现在这个行业能够生产出价格特别有竞争力的无碳电力。所以，接下来国家也有必要参与到能源多样化进程中，这样才能使我们不至于在能源方面只依赖一种技术。

我从来不认同科尔贝尔派或自由派所主张的现成的解决办法，我认为那些都是空谈。前者认为国家应该领导和决定一切，并指挥这些决策的执行——这一派其实就是戴高乐"演算计划"[1]的怀旧者。后者认为，市场永远不会出错，最好的工业政策就是没有政策。我对这两种解决方案都持怀疑态度：我既不相信第一种方案中国家干预的效率，也不相信第二种方案中市场能够做到如表面上看到的那般透明。

国家只有扮演好自己的角色——适当地保护和遵守规定，企业才能对未来进行投资。我们的使命任重而道远。自从2008年爆发金融危机以来，这场后遗症已经折磨法国10年了。人们像着了魔一样，只关心眼前利益、贸易、预算赤字、利润率或借贷利率。从多方面分析，这些指数确实在改善：我们缩减了财政赤字，并在一定程度上提升了竞争力。但事实上，30年来我们一直都在被经济全球化拖着走，做一天和尚撞一天钟，未能找到属于我们自己的位置——那就是建立一个优秀的、鼓励创业和创新的经济体系，一个在数字、文化和环保重大领域都走在世界前列的经济体系。

1　1966年，法国总统戴高乐发起"演算计划"，以支持法国计算机工业和计算机科学的发展，试图打破美国在该领域的统治地位。

07

第七章
法国制造和环境保护

如果我们想要在21世纪取得经济成功，就必须拿出对策，回应环境的挑战。如何在不对地球造成破坏、维持生活水平的条件下，让地球容纳一百多亿人口？这不是众多课题中简单的一个，也不是在某项计划中某个应该钩选的选项，它已经成为当代最核心的课题，与我们的日常生活有最直接的联系，因为它关系到每一天的饮食、健康、住房和出行方式。它不仅冲击着现行的发展模式，也从根本上威胁着人类文明的延续。

首先，环境保护具有政治意义。就如同上世纪有些人试图否认日益加剧的阶级分化那样，今天也有一些气候怀疑论者。也许他们就是持有这种观念，也许他们是出于对自身利益的考量，这些人甚至否认气候变暖现象的存在。在美国或欧洲，某些国家领导人或竞选者公开支持这样的看法。按照他们的说法，我们可以继续像今天这样生活、消费和生产。幸而在这方面，包括让·儒泽勒[1]在内的一群最优秀的气

1　让·儒泽勒（1947–），享誉国际的法国气候学家、冰川学家。

候学家的态度非常明确，很具权威性，并且从未被推翻过。

我们必须继续让民众真正关心这个问题，并向他们解释和证明：我们已别无选择，必须加快向低碳经济转型的进程。

在国际上，首先需要明确目标，从而逆转持续增长的温室气体排放。去年在巴黎召开的第二十一届联合国气候峰会（COP21）在这方面跨出了第一步，并为争取在2100年将地球升温控制在2℃以内达成协议。

人们对于这一事实已基本达成共识，这证明了有越来越多的人相信，地球的现状堪忧，我们必须有所行动。进入工业时代以来，地球的平均气温已经升高了1℃，随之而来的后果也有目共睹：一年比一年更热；我们宁愿花更多的钱来采集仅剩的几滴旧能源，也不愿致力于开发未来能源；一个由塑料构成的第七大洲正在海洋中浮现；我们一边将生产出的食品的三分之一都糟蹋掉，一边又面临肥胖的威胁；我们用一两年就扔掉的电器，大自然要好几个世纪才能降解掉。更严重的是，这个趋势有增无减。如果不采取有效措施来减少温室气体的排放，到2100年，地球上的平均气温将升高4℃以上，最直接的后果就是海平面大幅升高，一些岛屿甚至国家——如孟加拉国——将会消失，气候灾害也将频频发生。

环境方面的后果已然十分可怕，社会方面的冲击也不会小，因为环境难民人数会达到好几亿，并将直接导致世界范围的移民和和平问题。比方说，叙利亚从2006年到2011年间遭遇了历史上前所未有的干旱。这既与气候变化有关，同时也被认为是引发战争的原因之一。千万不要忘记，气候问题最先威胁的是那些最弱势、最贫穷、最年轻的群体，以及未来的世世代代。

2016年的气温记录表明，这可能是历史上最热的一年，我们必须尽快行动。这也是我为什么同其他人一样，无比感谢法国这次所做的工作。在法国的努力下，人们达成协议，罕见地将人类社会的各个组成部分，包括国家、企业、工会组织、协会、地方政府和宗教组织等都发动起来了。

但是，一切还有待我们继续努力。自从特朗普当选美国总统后，情况尤其如此。欧洲必须在世界论坛上表态，要求包括美国在内的国家从今往后遵守在第二十一届联合国气候峰会上所做的承诺。更何况，现在这些协定还不足以让我们实现将升温控制在2℃内的目标，我们必须以乐观的心态面对未来。新的可持续发展计划通过后，必须有一个规模相当的国际性倡议来保护生物多样性、保护海洋，我们国家在其中的角色举足轻重。法国拥有的海域占全球第二位，在全球18个生物种类最多样化的国家中，唯一的欧洲国家就是法国，我们同时也是十大拥有最多濒危物种的国家之一。并且，我们在所有重要的世界组织里都有一席之地：从西方七国首脑会议到二十国集团峰会，包括联合国安理会等。

我们必须支持和推进这项行动，集聚相关部门的经验和力量，并将它们分置到法国的海外国土，因为那里是我们实现目标的最佳场所。法国国土分布在全球各地，多样化的生物和气候在这些海外领土表现得尤为真实和突出。所以，我认为我们应该从海外领土着手这项事业，传递理念，而非从巴黎开始。

为此，我们自己首先应该成为环保的典范。所以，我要将新的环保事业作为法国未来几年的政治重心，它也将是欧盟未来的政治重心。

这样，我们就有资本呼吁其他国家加入这场行动了。关于这一点，我颇为乐观。我们要推行的新环保同发展新经济不仅毫不冲突，它还是后者的重要组成部分。新的环保政策将对那些想法新颖——如建造耗能少于产能的房子、发展新型环保农业等——的企业来说，是个绝佳的经济机遇。在环保创新上，政府的资助和扶持是必需的。对于整个社会来说，这也是一个机遇，因为环保创新让我们能吃得更放心，活得更健康，呼吸的空气更清新。简而言之，就是生活得更好。

当前的经济目标同环保目标不但不矛盾，而且在今后一定会越来越互补。

大家都知道"阳光动力号"飞机仅靠太阳能就完成了绕地球一周的冒险经历，但人们不一定知道的是，这次冒险之所以能实现，得益于化学领域的科技进步。法国拥有一切可以让其成为全球环保领跑者的条件。

明天，人们口中的"清洁科技"的产业将成为世界经济的重要支柱。

从2009年以来，太阳能光电技术的使用成本降低了80%以上，到

2025年还可能再降低60%左右，从而使太阳能光电技术成为最经济的发电手段。关于风力和太阳能等可再生能源，最需要解决的难题之一是如何实现长距离输送和储存，目前世界上很多大型集团和初创企业都将注意力放在这些难题的研究上，法国则是其中的佼佼者。

另外，海洋如今已经成为我们实现能源变革的重要舞台之一，未来更是如此。海洋再生能源技术将继续发展，并让生产多样化变得可行。

在能源利用效率方面，目前的主要研究方向是通过保温层和高效的取暖手段来降低住房的能耗，并且取得了有目共睹的进步：冷凝式锅炉成了常规设备，热能传输泵和木材取暖的效率明显提高，建筑公司则致力于寻找一种更简便的屋顶和墙面保温处理方式。

我们正在改变时代。昨天，公共交通和个人出行主要靠石油驱动。今天和明天，石油将逐渐被电力所取代。电动车在近几年取得的成就巨大，样式越来越多，电池的续驶里程越来越长，在不到10年的时间里售价下降了一半。除此之外，车辆的使用方式也经历着革新，数码科技的发展使共享汽车和单车变成可能，从而帮助我们更有效地安排出行。

新的环保经济将帮助我们修复土地、河流以及深受塑料污染影响的海洋。同样地，我们在家里和办公室里所呼吸的空气的质量，也将得以改善。据研究，受大气污染的影响，一个30岁的人的预期寿命，在城市里平均降低15个月，在乡村平均降低9个月。调查显示，法国每年因空气污染造成的损失超过1000亿欧元。

法国的工厂在很大程度上已经开始整改。过去20年间，工厂在减少温室气体排放上做出的贡献最大，如今在工厂排放物中，已经几乎看不到类似硫黄和二噁英等有毒颗粒。未来的工厂有能力让经济上升到更高的层面：收集多余的热量，转换成为城市供暖的热源；回收、拆解被废弃的消费品，进行再利用。简而言之，就是打造一个零废弃、一切回收再利用的循环经济。

可以说，法国具备了一切成为清洁科技领跑者的条件——我们在化学、物理和生物学方面拥有顶级的研究人员，同时具备一个由大型集团、发展势头良好的中小企业以及超高效初创企业共同组成的密集企业网。所以，现在正是助所有经济主体一臂之力的良机——用政策向它们发出绿色科技全国大动员的强烈信号。

我们要保持警惕，不能错过任何关键时刻。2000年，法国曾错失朝新的信息和通信技术以及数字化革命（现已被美国大型集团所把控）转型的机会。我们必须在未来的五年里，让自己拥有加入全球"清洁科技"冠军行列的能力，这既关系到地球，也关系到我们的工业主权。以前的法国制造已经行不通了，现在牵涉到的是几百万个就业岗位和几十亿欧元的经济利益。

另外，巴黎正在制定新的金融策略和游戏规则，这极有可能使巴黎成为全球绿色金融业的领头羊。面对这样的前景，我认为欧洲很有必要出台一项环境税收制度，鼓励在环保方面做出贡献的个人和企业，同时也能从某种程度上减轻个人所得税税负。

环保经济对全球发展的推动作用不可估量。21世纪将是城市发展的时代，城市作为发展的主力，必须迎接来自环境的不同挑战。在这方面，我们也要发挥优势。

我们可以利用自身的历史优势。在"可持续发展"这个字眼还没被发明之前，法国的城市就已经是可持续发展城市了。同大多数美国和亚洲城市不一样，欧洲的城市更加密集，市政规划不那么分散，也就无须依赖机动车解决出行问题。只有在密集的城市里才能够采用低碳的公共交通工具，并建立起智能化的能源网络。所以，如今法国在建立智能能源网、建设清洁能源街区、发展汽车和单车共享系统、方便散步者或行人的市政规划方面，往往都是领先的。

这样的城市更简约，也更人性化，它拉近了城市居民间的关系，让真实的见面变得很方便。我们要发展的新环保经济不但不会造成束缚，还会增添更多生活乐趣，让人重拾在一个宁静城市里安居乐业的欢乐。同时，居民也将越来越多地主动参与到城市的日常生活中来，越来越多的社群一一涌现，这将有利于控制能源使用和建立共享花园。

在发展可持续城市这一领域，法国拥有独到的经验和一些领先世界的案例——巴黎拥有全世界最密集的地铁网，巴黎和里昂是全球最先设立共享单车系统的那批城市，这些都绝非偶然。

这场变革必须让所有人，尤其是让最贫寒的家庭获益，新的智能城市无论如何都不应仅仅是富人的乐园。要做到这点，就必须投资公共交通，打通平民街区，并在城市规划方面进行政府和个人投资。总之，新型智能城市必须做到让最贫寒的家庭也能住得舒适、低价出行。

新的环保事业也能帮助我们改变乡村。只要抓住机会，我们就能利用环保大力发展农业。首先，农业活动的多样化，尤其是生产活动的多样化和能源的循环利用，将会为农业经营者带来越来越多的收入来源。其次，频繁发生的商业行情危机（如牛奶、肉类以及谷物等方面问题）、公共卫生危机（如疯牛病、禽流感）以及环境危机（如农药和硝酸盐的使用）都证明现有农业模式面临困境。一方面，农业工作者跟众多法国民众一样，想要的只是一份简简单单的生活，他们并不奢望得到更多帮助，只是希望自己的劳动能够得到合理的回报。另一方面，消费者渴望得到更健康、营养更均衡的食品，他们希望法国的农业工作者能满足他们的需求。未来，我们必须在社会和农业从业者之间制定新的约定，保证多数人能以可接受的价格买到高质量产品，同时也要保证农业从业者的合理收入。践行这个互惠约定的前提是建立起一个更有竞争力、更可持续发展的农业。我认为这些要求并不矛盾，但首先需要确保我国的农业和食品加工业能够抓住这个转型的机会，同时大型超市也必须遵守公平竞争的原则。

因此，我们必须通过行业协议制定合理价格，以此来约束各个行业，这个价格必须使生产者、加工者和销售者都能生存并继续投资。

这就意味着这个协议必须做到盈利，而且完全透明，可以持续几年有效，让所有人都可以看清未来局势，不再受价格波动的影响。每个人都应该明白，食品产业的自主性和国民的未来都依托于农业。

另一方面，农业生产方式也必须有所改变。农业工作者必须在后期投入更多，提高农产品价值，政府也应该予以一定的帮助和鼓励。比如，在埃纳省蒂耶里堡附近，我曾遇到一个肉猪和家禽养殖的家族企业负责人。最早他只有50头母猪，加上最近几年金融危机的巨大冲击，他几乎没有任何的胜算，小小的养殖场本来早就该倒闭了。但是，他选择了提高产品质量，自行对产品进行加工，并且减少不必要的销售环节，最终成功存活。如今，他的三个孩子也打算接手父亲的养殖业，并继续进行业务多样化的改造。

法国的葡萄种植者也已经进行了类似的调整，用完成原产地审核的葡萄品种代替旧品种，进行大规模种植。一些原来眼看就要一败涂地的葡萄园，经过整改后重新活了过来，不仅如此，还带动了法国南部旅游业的发展。我认为，葡萄种植业者的整改经验值得推广到所有行业，使它们取得法国消费者和外国消费者的一致青睐。最近，联合国教科文组织将法式餐饮和烹调列入世界人类文化遗产范围。有了这个品牌形象，我们的农产品就不难找到新市场，但前提是我们要提高产品的品质。在其他领域也一样，要让"法国制造"取得成功，靠的不是政府的政策，而是自身的努力。

法国人绝对属于最关注地球未来的世界公民之列，但一说到要改变生活习惯，进行物品回收，或是对住房进行节能改造，我们连欧洲平均水平都达不到。

环保问题不应仅仅是专家或大型国际会议才讨论的议题，它首先应该体现在日常生活中的家庭、企业、地方团体和非政府组织都应该参与其中，具体措施有旧物回收、消费经过可持续认证的产品、使用可持续材料进行生产、倡导环保设计、选择可修理的而不是一次性产品、绿色出行、对住房进行保温处理等。政府有责任去制定规章，实行鼓励措施，但它无法替代每个社会参与者做决定。

所以，除了让每个人对政府决策抱有信心，我们还要在此基础上调动其自身能力，号召大家都投身环保事业。

CHAPITRE

08

第八章

教育下一代

投资未来，并在21世纪刺激生产，这是我们发展振兴的中心任务。为了重振法国，并让每个人都在这场大变革中找到属于自己的位置，学校将是我们打响的第一炮。

我们反对根据籍贯不同来区分法国人的做法，这是法国的立场，也是法国的伟大之处。但是除此之外，我们还必须最大可能做到在获得知识和文化的权利面前，人人平等。

上个世纪，法国的学前教育、小学、中学、大学和高等专业学院在社会发展的道路上功不可没。法国能成为一个在科学、技术、商贸、军事、文化和政治等多方面都实力强大的国家绝非偶然，我们之所以能在那么长的时间里保持辉煌，是因为以前法国人受教育程度高。在大多数人眼里，法国实现了教育普及，同时接纳新的受教育民众，从而大幅度地提高了高中毕业文凭和高等教育文凭拥有者的比例。

可惜的是，如今我们的教育质量不尽人意。现行教育制度不仅没有做到减少不平等，反而在维持甚至加剧不平等。法国的学生对自己和学校都失去了信心，他们的父母也忧心忡忡。更严重的是，教师还在跟袖手旁观的官僚制度做斗争，因为后者对教师的付出和成绩视若无睹。

读完小学的孩子里，有五分之一既不会读，也不会写和算。在这大批的受害者中，首当其冲的是生活在最底层的法国人。他们往往来自移民家庭，这样的学生到了初中和高中情况也不见得会好转。尽管法国高中已经增设了一些技术和职业培训课程，但这些课程尚未达到德国那种学徒制授课模式的质量。如果学生到了小学最后一年，仍然不会读、不会写，那么他们将来能学会一门职业的几率几乎为零，以后也不太可能在社会上立足。

至于我们的高等教育制度，它把有发展前途的学生同其他学生区分开来。等待前者的注定是高等学府和最好的大学课程，其他学生——往往也是最需要帮助的那群年轻人——却浑浑噩噩地进入了大学里某些从未得到国家支持和重视的专业。但事实上，这些专业也理应得到我们的重视。

在教育方面，我国曾推行过许多徒有其名的改革。最近的那次改革是有关学校作息时间的。本来，这个问题直接关系到学生的日常生活和学校的正常运作，我们却用敲敲打打、修修补补的方式折腾：先是取消原有课程，然后又重新设立，到头来谁都不清楚这么做的目的到底在哪。国家对教育的投入也是先增加，然后又减少，既没有结果，也没有进行过评估。左派和右派轮流掌权，将法国这个世界上第五富裕的国家打造成一个在教育基本技能方面资质平平的国家——从基本的数学运算、英语的笔头和口语能力到许多其他科目，情况都是如此。

多年来，政府一直拒绝进行彻底的变革，甚至回避新出现的问题，这样自然不可能制定出新颖、高效的措施。我们的孩子，国家的未来，尤其是那些条件最差的家庭的孩子（如今有300万法国人生活在贫困线以下），所需要的远不止徒有其名的改革、时多时少的政府资助，或者是与修改教学大纲有关的空谈……

如果我们要掀起一场革命，这场革命首先就体现在教育方面，它将有三个战场。

首先是初等教育。不平等从这里开始，所以针对初等教育开始改革最为有效。在法国，政府对小学的投资明显低于发达国家的平均水平。如果小学教育的效率得不到改善，那么初中的情况也好不起来，因为在初中将有更多学习困难的学生需要我们面对。所以我们的首要目标，就是让初等教育更有效、更公平。

为了实现这一目标，我们需要重新制订一个针对初等教育的大规模投资计划，主要针对那些需要优先照顾的地区。我们要把这些区域的小学一年级班级数量翻倍，要让老师接受培训和辅导，尤其是某些特定城市和乡村地区的教师，还要对学校的非教学人员进行投资，改善学校的保健水平。许多孩子上完小学仍然不会读、不会写，就是因为他们有视觉或听觉障碍以及某些过晚被诊断出的症状——如果人们能及时发现，这些症状本可以被纠正，必要的辅导措施也可以尽早实施。早期教育在帮助孩子学习语言和扩充词汇量方面表现出的积极作用已毋庸置疑，其效果对于家境最差的孩子尤为突出，孩子成长后期的阅读和书写能力都将受此影响。

解决这一问题将是我的首要任务，我将通过取消若干近期实施的、无用又开销巨大的改革措施来筹集这方面资金。

我认为有必要重新考量学区分布，打破当前封闭街区的局面，从而避免孩子从幼年时代起，脑子里就充斥着社会和教育决定论的想法。这需要我们重新制定有关学生划分的明确规定，通过创新而独特的教学法，使困难地区的学校更具吸引力，同时还要确保学校班车的数量。

关于中等教育，我们要恢复被取消的欧盟主题课，因为这是将年轻人塑造成欧洲公民的良好途径。我们要在所有学区恢复初中一年级的英德双语班——培养年轻人讲德语不仅在德法关系上有战略意义，也符合戴高乐将军1963年所做出的关于发展法德关系的庄严承诺。

在初等和中等教育结束后，我们的第二个战场是学生的毕业去向指导，这一指导在高考前后都会进行。在我眼里，这是个非常迫切的问题，然而它好像并没有引起教育系统负责人的关注。如今，每年大约有10万年轻人在没有文凭、没有接受培训的情况下肄业。另外，尽管80%的学生都能通过高考，但他们中有许多人又会因为选择了不适合自己的大学专业而迷失方向，以至于最后只得放弃学业。这对他们自己，对我们社会，都是极大的浪费。

这个时候，社会不公现象尤为明显。因为，一个家境较好并且学习成绩也不错的学生，接下去可以进入高等学校预备班或者那些筛选性强的专业，更不要说如今越来越多的年轻人选择去英美或其他欧洲国家留学了。但是，如果没有受到任何指导或建议，年轻人往往会随机选择一个与自己并不匹配的大学专业，而真正适合他的也许是更注重职业培训的课程或者另一门专业。所以，大力加强对学生的毕业去向指导非常重要，并且这项工作应该从中等教育抓起。

毕业导向的标准不是教育系统所评定的好或有用，而是根据每个法国青年的潜力，为他们提供充足的信息，让他们能够自由选择今后的道路。出于这一想法，我希望在大学生或职业培训新生报到的时候，学校能够将前三届学生的情况张贴出来：有多少学生一直读到了最后、有多少找到了工作、有多少选择继续进修高等课程。做到信息透明并传达给学生和他们的家庭，这将有助于改善不公平现象。

职业教育应该成为国家教育体系中真正的重点，它首先就同前面提到的学生毕业去向指导工作息息相关。我们目前在这一点上之所以做得还不到位，是因为现在的国民教育体系尚未认识到它的重要性，甚至有所排斥。同时，也因为我们的企业尚未担任起培训者的角色。面对这种情况，我们必须简化流程——从国家层面确定职业教育的教学大纲和范围，至于职教体系的管理，就交由地方自己负责。

大学教育是最后一个战场。我们的大学教育硕果累累，也诞生了不少的世界第一，我们完全有理由为法国在诺贝尔奖和其他许多领域获得的卓越成果感到骄傲。同样，在全国各地随处可见的创新也反映了我们的活力和进取心，年轻人往往也对能够成为"大学生"而感到自豪。我们应该大力宣扬上述这些成就，这样才会使大学生和研究人员（不论是法国的还是外国的）对法国大学感兴趣。这对社会和谐以及经济发展都十分有必要！

不过，我们在大学教育方面面临的挑战也不容小觑。大学生人数呈爆炸性增长，并且在未来有增无减。1960年以来，接受高等教育的人数增加了八倍，国际竞争变得十分激烈，以后这种情况也只会加剧。现在，从日本到中国，乃至整个亚洲都参与到这场竞争。今天，对于巴黎的一所大学来说，它的竞争对手不再是另一所巴黎大学，而是瑞士的洛桑联邦理工学院或者英国的伦敦政治经济学院。多亏了数字化革命，从今以后，未到大学报到的非大学生人士，同样能够学习麻省理工学院的课程，价格还很便宜。渐渐地，知识市场做出了自我调整。如今，许多经济部门受到冲击，在工厂、银行业和保险业，数百万就业职位正遭遇变动，而与此同时，法国的高失业率反映出我们没能抓住这些新的经济机遇。这样的时刻，我们的大学唯有适应形势，改变培训内容，才能保证法国的经济保持在世界前列。

要想成功，我们就必须给大学更多的教学自由，给予更多的资金投入。比如说，通过真正的社会扶持保护经济困难的学生，容许家境好的学生向大学提供资助，使大学具备吸引优秀教师的能力，像外国大学（尤其是美国大学）一样在晚上和周末开放大学图书馆以满足大学生的学习需要。是时候跟那些教条主义说再见了——它们唯一的受害者就是年轻人，而我们唯一需要做的是让年轻人获得成功。

那么，靠什么取得成功？答案是：靠教师！

在我看来，并不存在所谓的"招聘危机"。事实上，教师职位的求职者人数从未像今天这么多。真正的问题出在教育系统的运作上面，也就是说，出在人事管理模式上——目前，教师的流动完全由行政机构和全国教师工会共同拍板决定。这种人事变动不但刻板，而且不透明，这种状况对相关教师以及落后地区的孩子们来说，都很难接受。比方说，在塞纳－圣丹尼省，入职教师太年轻，经验不足，数量也不够。

我们不停地制定新的规章制度（尤其是那些以"通知"形式下达的规定），而教学扶持、创新教学、教学评估以及教学资源共享等方面的努力却远远不足。一方面，教育部下属行政机构一如既往地对一百多万教师日常工作的细枝末节指指点点；另一方面，如果有谁不小心提到了"自主"这两个字，一些保守人士就会跳出来叫嚣着说共和制的平等被破坏了。我们必须尽快明确一件事情，那就是——统一标准跟平等是两码事：对所有学生采取同样的标准，结果就是只有一小部分学生能顺利完成学业。所以，恰恰相反，我们应该在那些有困难的学生身上多花点时间。如果一所小学里有60%的孩子在毕业时仍无法掌握读写能力，这样的学校怎么可能同一座富裕街区的学校面对同样的挑战？难道说我们还要打着平等的旗号，对这两类学校进行同样的投资吗？我相信，我们有必要对前一类学校投入更多的资金支持，并给予更多的自主权，让它们尝试创新。具体措施是：以更高的工资吸引优秀教师，增加授课时数等。为做到真正的平等，就必须对更需要帮助的人给予更多的付出。

说到底，所有问题的关键在于，我们是否能给基层工作者以足够的信任。鉴于他们的地理优势，只有他们才能研究、组织和资助对当地最有用的革新。说到这，我不得不提一下"网路教学"这种新的教学法，它对那些小学一年级学年结束时仍不会读的学生会很有帮助，能够在他们升入二年级前弥补与他人的差距。出于这个原因，学校必须有一定的自主权，这也将成为国民教育新的管理模式。为了平衡这种模式，我们需要再设立一个单独的机构，赋予其按照统一标准对学校进行评估的权力。这样一来，以提高学习成绩为目标，教师可以更加自主地在基层尝试创新，找到最适合孩子的方法。我的建议是，从2017年秋季入学起，就给那些希望聚在一起尝试新方法的教师团队提供重要的资金支持。当然，他们也要汇报自己的教育结果，但前提是我们要给予最大的信任。在创新方面，如果有教师建议创立颠覆传统办学理念的小学、初中或高中，政府也是可以考虑的。

如果我们能够回忆起最初加入共和制的动力，如果我们重新为教师这个职业找回其在共和国时期的核心价值，我们就一定能成功。我的个人经历让我明白一点，那就是传授知识和培养下一代是我们最根本的任务。但是现在，我们国家同教师之间出了些信任问题。右派听凭这个问题恶化，左派也未设法补救，在某些场合下，左派甚至借机大做文章。关于这个问题，法国民众的眼睛是雪亮的，弱势群体更是看得一清二楚。这是一个道德层面的错误，必须加以纠正。

如果我们不考虑教师目前的普遍精神面貌，我们将一事无成。我想提上议程的问题包括：青年教师被派往困难地区后便再无政府支持，经验不足的教师往往刚入职就要面对有纪律问题的学生，手握博士文凭的教师要熬好几年才能做讲师，然后再熬几十年才能盼到一个大学教授的位置等。

同时，教师的行政工作越来越重，与学生家长的关系越来越糟，薪酬不能定期上调，政府反而要求教师在工资不变甚至下调的情况下付出更多的辛劳。

我们必须有勇气指出，大部分时候，教育现状之所以令人忧虑，其原因往往不在社会，而在于教育这个圈子本身：无孔不入的行政体制、复杂的双重领导、学校在自主决定和服从上级指令之间拿不定主意、教学计划没完没了地变更、高高在上的教育部出台的各项规定远比最贴近学生的教师更能决定学生的命运……

可以肯定的是，我们能够实现这场校园变革，因为我们将与教师并肩作战。

CHAPITRE

09

第九章
靠劳动谋生

　　我并不认为，投身政治就要承诺给人们带来幸福。法国人不傻，他们很清楚，政治不是万能的，它不具备处理、决定和改善所有问题的能力。我所关心的也远不止幸福这一件事。我深信，政治的任务是让每个人找到自己的路，成为命运的主宰，行使自己的自由，选择想要的生活。这才是政治应该做出的承诺：让人们摆脱束缚、获得自由。

　　但是，为了能选择自己的生活，首先要有赖以生存的工作。

　　因为只有通过工作，我们才能生活，才能教育孩子、享受多样的生活方式、学习不同的知识以及建立同别人的联系。也只有通过工作，我们才能摆脱现状，在社会上找到自己的位置。所以，我不认同"劳动的终结"[1]这一说法。事实上，将就业留给能力最强的人，或者在一部分民众的额头盖上"经济废物"的印戳并弃之不顾，诸如此类的言辞总在我耳边萦绕，仿佛在宣告共和国的美好承诺——让所有人获得自由——将彻底瓦解。这也是我为什么坚信消除失业仍然是政

1　"劳动的终结"，指美国社会评论家杰里米·里夫金的同名畅销书里的观点。

府的工作重点，我们的欧洲小伙伴，尤其是德国，就表明了"劳动的终结"绝非必然趋势，解决问题的办法还是有的。只不过，落实这些办法需要些勇气。

我不相信，光靠所谓的"充分就业"[1]就能让国家重获信心。英国和美国就是鲜活的例子：尽管这两个国家在就业方面都已达到"充分就业"的目标，但是，英国脱欧和特朗普当选美国总统充分显示了这两个国家的社会危机。如果一个社会放弃对平等的追求，危机就会出现。

我们必须让人人都有一份工作，并为每份工作保证合理的报酬和发展前景。

那么，在通往这个目标的路上，今天我们走到了哪一步呢？

我国的劳动力市场在每个层面都有问题。失业率持续在高位徘徊：每十个可就业的人中就有一人失业，每四个年轻人中有一人失业，在某些困难地区，每两个人中就有一人失业。许多地区因为失业而导致民众的绝望和愤怒，从而成为伊斯兰极端主义或国民阵线党的温床。对失业的恐惧在整个社会蔓延开来。从孩提时代起，我们因为选错学校或专业而纠结，后来又因为选错工作或行业而烦恼不已，因为稍不留神生活境遇就会一落千丈，找到工作也不见得能高枕无忧。

1　"充分就业"的概念是英国经济学家凯恩斯在《就业、利息和货币通论》一书中提出的，指在某一工资水平之下，所有愿意接受工作的人都会获得就业机会。

在那些获得长期合同的幸运儿身边，有几百万就业者要忍受日复一日朝不保夕的境况：70%雇员签的都是不到一个月的短期合同，并且通常是在同一个公司里。还有那些已经无法靠工作维持生计的人，比如绝大多数农民、从全职转到兼职的劳动者（其中大部分是女性）。

我们的国家需要有一些规定，以确保所有人都能靠自己的劳动来维持生计。而现行的法规都是二战后制定的，已不能满足时代的需要。

这些规则偏向于圈内人，也就是指那些已经有了工作并受到保护的群体，而不利于圈外人，即那些最年轻的、受教育少的弱势群体。正是这种情况使我们的社会模式变得既不公平也无效率，它更保护既得利益者，阻碍社会进步。

我首先要确保每个人，不管其学历如何，都能在劳动力市场找到一条出路。今天有两百万年轻人既没有工作，也没有职业技能资格证书，还有几百万的劳动者基本上没有任何文凭。我们在考虑职业技能资格的同时，还要为这些人获得工作提供方便。

因此，我们必须在所有职业培训领域设立学徒制，直到高中毕业，并将资源集中到层次较低的资格培训方面，把更多的职业培训下放到各行业部门进行。

大部分职业技能资格证都是不可或缺的，我们必须承认这类资格证在建筑及其他许多行业的作用。但有时候，它们又束缚了弱势群体或低学历的人，阻碍他们自主创业。然而，对某些人来说，找到一个客户要比找到雇主更容易。在巴黎地区的斯坦市[1]或里尔地区的维勒班市[2]，成立自己的公司并找到客户就比争取到一个面试的机会要简单。让资格证书阻碍年轻人或有点年龄的人创业，实际上就是把他们推向失业的深渊。

这使我想起在科尔马市遇到的米歇尔。当时他已经50岁，曾在一家汽车车身制造厂干了30年，因为没有职业技能资格证书，所以后来找不到工作，再加上年龄太大，也无法自己创业。以他今天的状况，是否还有钱甚至是时间去考一个资格证书呢？答案显然是否定的，所以今天的他除了长期失业，别无选择。

对于年轻人，尤其是那些学历最低的年轻人来说，就业方面最大的障碍是劳动成本。我认为，单纯靠设立一个年轻人最低保障工资是不能解决问题的，我们需要更清晰地看待局势。比如说实行学徒制——确实，学徒的工资更低，但他们却享受到了能保证就业的职业培训。所以我希望放开学徒制，减少这方面的政策限制，并赋予行业自身更多的权利来选择培训内容和方式。

除了前面提到的劳动力成本，就业者还面临另一个困境——劳动合同中断时需要付出的巨大代价。今天的劳动法庭不但程序冗长，而且复杂、不透明。对于有能力等待、拥有专业法律团队的大公司来

1　斯坦市位于巴黎大区北部，是巴黎都市圈的一个市镇。
2　维勒班市是里昂都市圈的一个市镇。

说，这不是问题，但对于一个失去工作并且学历不高的员工来说，若要在法律程序结束后拿到补偿金，意味着要等上好几个月甚至好几年，这样的代价就太大了。同样，一个本来就只有一两名员工的小老板，为了等待法庭判决书，就只好不另聘员工。正因如此，我曾竭力推进劳动法庭改革，并将继续这么做，并对这种情况下的补偿金设定上限和下限。

同时，我们必须维护就业者的生活水准。这不仅仅是购买力的问题，更事关人的尊严与彼此尊重。我们怎能坦然面对农民今日的境遇？我们怎么能接受那么多的工薪阶层对薪资的不满？我认为那些由上而下制定出来的、不加审核地给所有人涨薪的承诺，都非常糟糕，它会使企业受损，到头来受影响最大的还是员工，并造成更多的失业。

为了提高购买力，我们还有一场重要的仗要打。社会保障制度虽然保障人人受益，保费来源却主要是民众的工资收入，这点确实不合理。这也是为什么很多人不理解企业竟然抱怨"劳动成本"过高，而他们自己却觉得到手薪资与自己付出的努力不匹配。

我建议削减员工和个体户承担的社保缴费。这将明显增加净工资，同时又不加重劳动成本，也不影响企业竞争力和就业——这项措施所需资金的筹措方式要让劳动者能真正得利。

为了造福生活在社会最底层的民众，我们要针对社会福利制度进行一场改革。当他们走出失业困境，找到新工作时，社会福利不应该立即停止。因为福利的意义在于鼓励人们回到劳动力市场，补贴最贫困的劳动者的收入。而今天这个制度所做的，却恰恰相反。

让所有人都能靠劳动所得维持生计，也就意味着经济主体有能力应对形势变化。立法者无法预见所有的情况，有谁会认同用千篇一律的方式去管理包括农业、奢侈品行业、手工业以及通信业在内的所有行业？然而，在劳动领域，我们仍然试图用死板的法律法规来解决所有问题。

无论在哪一层面，我们都必须以前所未有的灵活敏锐来处理问题，这直接关系到劳动法的修改是否能成功。

为了能在这个知识主导、高速发展和鼓励创新的经济中取胜，企业必须持续不断地调整结构。如果负责人担心做不到这一点，他就不会聘用员工或聘用得很少。为了在不同的经济形势及行业要求下，都能向员工提供一个最佳的社会分配方案，我们必须开展更多的劳资沟通和谈判。然而，今天我们在这方面的条文繁多，且过于死板，就因为它们被写在劳动法里，便应用于所有类型的企业和行业。这种做法毫无意义。

在实行35小时工作制的时候，我们已注意到这种做法的后果。那些主张将35小时延长到39小时的人，是否愿意跟全体法国民众解释说，大家每星期要多工作4小时但工资仍维持不变呢？这种延长工作时间的做法显然也毫无意义。对有些企业来说，35小时工作制很合适；对另一些企业来说，情况就不同了，它们可能需要工会做出决定，是延长工作时间以完成订单，还是缩短工作时间以避免裁员。

在法律容许的情况下适当延长工时，尤其对于大型汽车制造企业或造船企业来说，这种方式反而保住了几千个工作岗位。那些曾经使全国性谈判陷入僵局，并因为意识形态的原因而反对延长工时的工会组织，当时也认同了企业的决定。担任经济部长时，我曾经去圣纳泽尔市的一家企业签署一些订单和有关制造新轮渡的文件。一年半前，这家企业曾濒临倒闭，多亏了企业负责人和员工的集体智慧，他们达成一项很有远见的协议，规定可以在相当长的几个月里实行部分歇业。于是，企业就这样存活下来了。得益于这项措施，再加上国家的支持，企业得救了，接到新的订单后很快出现了转机。如今，他们的订单数量十年也做不完，这种情况前所未有。这就是不向命运低头的最好证明。

同样，关于设立高强度劳动记录的改革，本质上是一件好事，但也不是所有地方都适用。对一家大型汽车制造集团来说，这个改革不会产生问题，它对员工来说是真正的进步。但对一家小型建筑企业或一家面包店来说，这项改革几乎无法实施，它只会让老板的职业生涯更加复杂，并严重影响就业。

所以，我们应该抛弃那种认为法律必须面面俱到，适用于所有人及所有场合的想法。

我赞成彻底修改劳动法的结构，容许行业和企业的内部约定打破法律束缚，能够就所有问题达成一个大多数人都认同的协议。

在劳动法中，我们需要明确的是那些决不能让步的重大原则，如男女平等、工作时长、最低工资，等等。至于找到合适的平衡和有用的保护措施，首先要交由各行业部门商议，然后再交由企业商议。这样，在充分相信各方智慧的基础上，我们能够尽可能在基层以更清晰明了的方式简化规定。今天，我们承认民众可以通过投票对所有问题正当发表自己的意见，那为什么民众就不能对同日常生活息息相关的问题发表意见了呢？

我从不认为明天的繁荣可以建立在单方面剥夺员工的权利之上，但我更不认为死板的、有时甚至脱离实际的法律条文能带领法国在经济全球化中取得成功。

我知道这种做法会引起一些人的担忧。同德国或北欧国家的情况不一样，法国并不擅长沟通、谈判和妥协，我们的工会有时过于弱势，缺乏代表性。然而，社会沟通和对话并不是什么高不可及的奢侈行为，它正是我倡导的所有做法的核心所在。我要说的不是近几年进行的那种全国性社会谈判，而是实用的、在行业和企业层面进行的谈判。所以，我们可以在此下这样的结论：要让工会拥有进行谈判的资金手段，加强他们的合法性。为了配合，我们要建立明确的资金机制，让员工能通过这个机制将企业提供的资金引向他们选择的工会。

最后，在一个创新的经济里，如果想让每个人都能靠自己的劳动维持生计，就必须让所有人一辈子都有学习和得到培训的机会。

有些企业，有时候甚至可以说整个行业，很快就要分崩离析了。

但这不代表那些企业的员工也应因此而失业，或者陷入朝不保夕的境地。因为与此同时，一些新的职业、新的机会和新的工作岗位又如雨后春笋般出现。我们必须让每个人都能抓住这样的机会，无论其过去经历如何。今天，已经没有人能在20岁的时候就预知自己在50岁的时候会从事怎样的职业了。为了让人们能通过劳动获得生活的自由，我们必须改革继续教育培训。靠着20岁时受到的培训养活自己一辈子，这样一劳永逸的情况再也不会有了。

当今世界处在技术变革中，某些职业很快会退出历史舞台，同时也有新的职业产生。在这样一个瞬息万变的世界里，我们无法承诺"就业保障"，无法承诺每个工作岗位都一直有收益并且多产。过去的事实也证明了这一情况。那些宣称有办法做到这些的人都是伪君子，我们今天的社会问题也全拜他们所赐。

但是，我们可以确保两件事：人人都可以转行，并且在面临失业时受到保护。在人生转折点上，人们最需要得到社会的支持，以帮助他们渡过难关。

劳动者在同一企业或同一行业里干一辈子的情况越来越少，所以人们将越来越需要接受二次培训。

目前，我国的继续教育培训并不符合这样的需要。在法国，每年耗费在职业培训项目的资金达300多亿欧元。但是即便这样，弱势群体依然是最难获得培训机会的，因为制度太过繁琐。为了获得培训所需的资金，有时需要找工会，有时需要同大区行政部门联系，有时需要去就业中心，办齐相关手续有时候甚至需要一年时间，许多人半途就放弃了。另外，通常这类培训的质量也不高，因为现在这个制度主要针对的是那些已经有稳定工作和受教育培训程度高的民众。

在这方面，我们也必须进行一场真正的革命。我们的目标是，向所有劳动者提供量身定制的培训扶持，同时对受训者之后工作能力的增长变化情况进行评估，这就需要接受培训扶持的劳动者必须遵守认真学习的义务。在这方面，我们应该提供一系列选择：为了掌握一项必要的技术，可以安排几个星期的短期集训，也可以长达一年或两年（比如在大学里进行的、能让受训者真正转行的长期学习和培训）。为了达到目标，这一培训扶持制度必须尽可能透明，同时拥有真正的评估系统，将受训者是否能重新找到工作和其工资上升的幅度等结果进行公布。最重要的一点是，所有人都能利用这里的资源获得培训机会，并直接同培训机构联系，不需要任何中间环节。

对自己的职业前景不甚满意的在职者以及工作条件恶化的劳动者也能享受这样的培训机会，这也是为什么我们必须让主动辞职的劳动者也享有失业保险，让他们有能力去接受其他培训，进而获得新的职业资格。从这个意义上说，失业保险的性质将发生变化。严格地说，这已不再是"保险"，而更像一种可能性，一种让劳动者从社会获得资金支持，从而在转折时期接受培训的可能性。这是一种鼓励职业流动的普遍权利。

自由职业者、商人和手工业者也理应能够享受失业保险，尤其是现在，工薪阶层和自由职业者之间的界限正在淡化。这一类劳动者往往面临的风险最多，最容易受行业突变的影响，但同时，他们受到制度的保护也最少。我们必须毫无保留地揭露这一残酷的现实。

我完全不认同一些政治领导人关于逐渐降低失业补助金的主张，比如将现有的补助减去若干欧元、若干个月，等等。他们的言下之意是：职业过渡期问题不值得一提，职业流动会自动发展，失业者之所以失业是自己的错。我的想法恰恰相反，我认为政府在这方面的大量投资非常有必要。当然，这是一项旨在发展培训和职业资格的投资，与之对应的是每个劳动者自己的责任心，对参与培训者的努力程度予以监督，并对培训结果进行评估。

这场革命并非要将就业和职业培训问题上升到国家层面。确实，国家必须投入资金（它已经这么做了，但并不是它真正决定这么做，而是社会保障体系促使它投入资金），并监督和确保改革正常运作。但是，正像现在已经开始的状况一样，国家必须将针对职业能力的评估交由私人机构去完成，将培训托付给各个大区、各个行业、大学、中小学和学徒中心去操作。国家的任务是对这些部门的运作结果进行评估。与此同时，为了确保资金的有效使用，我们将加强监督，更严格地要求劳动者积极寻找就业机会和接受培训。我希望建立一个对参与者有严格要求的权利和义务制度。简而言之，凡是在失业后规定时间期限内不参加培训的，补助金将被取消，凡是参加培训后不接受一份合理的工作录取通知的，补助金将被取消。只有这样，才能确保资金使用的公平有效。这将会是一个刺激经济回升的有力杠杆。

　　但是，做到"靠劳动谋生"还不足以让我们选择自己想要的生活。这个承诺无法独自兑现，它需要建立在一个全新的社保体制上，后者的出发点很简单——多为弱势群体着想。

第十章
为弱势群体着想

　　在这个高速发展、变化的世界，法国人民要勇于承担风险并进行创新，这正是职业培训革命的意义所在。但是，这场有待完成的变革也会带来新的不平等。一方面，一部分法国民众能够利用国家开放的机会，因为他们接受过良好的教育和培训，拥有一定的经济和文化资本。另一方面，是那些最底层、最弱势的法国民众，他们的命运将经受经济形势变化的冲击，使他们成为越来越严酷的竞争和技术变革的第一批牺牲者，面对生计无定、失业、健康和政府撤资带来的种种问题。

　　目前的某些社会分化现象也许能够解释为什么法国如此本能地紧抱人人平等这个原则。我们对这个原则的注重，是我们同其他西方国家，尤其是同英美国家的区别所在。我们并不打算牺牲一切来追求经济增长，或者追求个人至上主义。我们寻求的是一种特殊形式的自由：一种以社会互助为依托的个人自主权。

　　我十分推崇让民众拥有选择权的社会，一个将民众从束缚中解放出来，从过时的社会构架中解放出来的社会。在这样的社会里，人人都能决定自己的生活。但是，如果没有社会互助，这样的社会将陷入分崩离析、排除异己和暴力伤害的境况中。那么，选择生活的权利将只属于强势群体，而不属于弱势群体。

所以，我们必须创造出新的社会安全保障制度，为的就是回应新的不平等现象。

对我来说，这一回应是基于一个简单的事实：权利统一化——同样的权利、同样的可能性、同样的规定、同样的帮助——并不意味着平等。相反，平等的关键不再是向所有人提供同样的援助，而是向每个人提供其所需的帮助。这不是取消社会互助，而是创造新的社会互助。当人们的经历和处境差异越来越大时，就必须从单一的做法脱身出来。否则，政府介入非但不能消除社会不公，反而会加剧已有的不公，甚至带来新的社会不公。

为了实现这一目标，首先我们须从根本上改变政府的角色。政府必须变成真正的"社会互助投资者"。它在决定对每个人的资助时，不应是基于他们的现状，而应基于他们的潜能和对集体的作用。

所以，我们不能仅仅满足于为民众提供保护网，因为这是社会最起码的义务。我们必须让每个人，不管他处在怎样的社会地位，都能展示自己的全部才能和作用。对于贫困群体，我们不仅要向他们提供资金援助，还要让他们在社会中找到真正属于自己的位置。对于受种族或宗教歧视的群体，我们不仅要为他们伸张权利，而且要为兑现他们的权利而不懈奋斗。

其次，我们必须改变自己的做事方式。国家必须尽可能早地从事情源头介入，这样做代价小，而且效果好。尤其在民众健康方面，必须实行周详有效的预防政策。

最后，我们必须普及民众权益，尤其那些同失业和退休相关的权益，从而避免某些特殊保护制度导致的社会隔阂以及不公平现象。

现在有些人几乎没有任何社会保障，而与此同时另一群人则享受着特殊保护制度赋予的权益——这种情况必须终止。

所有的民众都应该享有同样的权益。

在法国，将近900万人生活在贫困线以下。除去日常开支外，他们每天的生活费还不到10欧元。对他们来说，贫困潦倒不是未来可能面临的状况，而已经成为他们的日常生活，也是他们的焦虑之源。

关于这个问题，政界的态度历来就分成两大派。按照其中一派，即某些右派人士的说法，凡是享受社会最低生活保障人的都是些好吃懒做，等着社会救济的人。所以，这派政治人士抱着指控的态度，建议让最贫困群体的生活变得更艰难。按照另一派，也就是某些左派人士的说法，只要发放一些补助就可以了，不需要真正关心收到补助的人。我要谴责这两种做法，因为它们都只会再次引发社会对立和冲突。

除此之外，还有一个诱人的设想，得到了不少左派和右派人士的支持——"全民基本收入"。具体来说，就是不管工作与否，所有人都可以无条件享受一笔可维持生计的收入。我明白这个想法的逻辑，但是我并不赞成。首先，在资金方面，我们必须做出选择。一方面，如果提供一个很低的全民基本收入，不但不能解决赤贫带来的问题，甚至会恶化最贫困民众的情况；另一方面，如果提供一个较高的全民基本收入，资金来源只能以大幅度提高中产阶级的税收为代价。我不认同这一设想，还有一个更根本的原因——我坚信劳动的重要性。作为一种价值，劳动可以解放民众，帮助社会流动起来。并且，我不认为某些人就注定只能生活在社会边缘，只能靠社会补给勉强度日，无法憧憬未来。

说到底，我认为我们有责任帮助最弱势的群体，给予救济和尊重。

所谓施以援手，就是让最贫困的民众享受到他们应得的社会补贴。在有条件获得就业互助金的民众中，有三分之一的人不使用这个权利。为什么会这样？有些人是因为不了解情况，另外一些人则是自愿放弃。

其次，所谓尊重，就是要完全承认他们的社会地位，并在可能的情况下帮助他们重新找到一份工作，具体操作起来要因人而异。

第一，对于那些骗取社会福利的人，我们要毫不留情。虽然这些人远不是大多数，但也确实存在。他们除了让社会承担经济成本之外，还玷污了让我们团结在一起的互助精神，给那些指责"援助制度"的言论提供了口实，让那些合法领取资助的人背了黑锅。骗取社会福利以及偷税漏税（后者比前者的金额更大）这两种欺诈行为，都严重影响了民众对政府举措的信心。因此，我们对此类行为要加大打击力度。

第二，要采取严谨而有针对性的措施帮助那些有可能重返劳动市场的人。在这方面以及众多其他方面，我认为都有必要借鉴社会和团结经济型企业的经验，后者可以说是我们国家在社会创新领域的先锋，其经验非常值得被推广。关于这点，我之前提到的以继续教育改革为基础的，旨在帮助全民重获职业技能的计划，必须能够做到真正意义上的改革，要跳出近20年来的小规模调整模式。

第三，我们必须承认和理解，一些人已完全被劳动市场淘汰了，并将很难再找到工作。他们或许有残疾或功能性障碍，或许有十分艰难的生活经历等。但我们不应该就此放弃他们，而是要尽我们所能向他们提供建议，让他们实现自我价值，寻找有利社会的工作机会，帮助他们重新融入社会，找回自己的地位和尊严。长期以来，我们都是用钱打发这些陷于困境的人，但其实我们亏欠他们的远不止金钱。

同民众一起制定反贫困政策，既体现了我们对他们的尊重，也能确保这些政策取得成效。

多为弱势群体着想，也是我们面对社会歧视现象时应有的态度。这些歧视建立在各种差异的基础上，包括性别差异、籍贯差异、性取向差异、政治差异、残疾或健康状况差异等。我们不能容忍这些歧视，因为这是对我们人格的直接攻击。再者，所有的歧视都会造成严重的社会和经济后果。

我要谈的第一种常见歧视直接关系到半数的法国民众——女性。在今天的法国，日常生活会因为我们是男性还是女性而截然不同。劳动力市场就是个很好的例子。女性往往不得不减少工作时长，兼职工作者中有78%的人是女性。她们的报酬也相对较低，同样的工作岗位和工作时长，女性比男性的收入低10%。在高层职位，女性的占比也更低——在巴黎证券交易所市值排名前40的上市企业中，只有3家企业共有3名女性跻身企业领导层或总裁的位置（剩余37家企业均由男性领导）。另外，女性创业者也更少，现在法国只有30%的企业是由女性创建的。更糟的是，她们还要面临只有女性才会遭遇的不安，这一点体现在日常生活的方方面面：在公共交通工具、工作场合甚至大马路上，她们都会受到潜藏的性骚扰。今年夏天，由"前进运动"志愿者组织的名为"大游行"的走访中，许多受访女性都谈到了这个问题。

第二种歧视与人们的出身有关。在很长一段时间里，我们以为反种族主义就足以让我们与各种面对肤色、宗教和出生地的不公做斗争。20世纪80年代，法国曾有过一场声势浩大的反种族主义运动，它唤醒了民众意识，并且符合当时法兰西社会的需要。当时，大家都还只关注社会分化造成的不公。这个运动也有它的短板。由于太注重说教，它并不能遏制日益升温的社群冲突，也几乎没有改善种族或宗教少数群体的日常处境，从而使这些人最后往往倒向极端。光是揭露不公还远远不够，我们必须行动起来。

公开的种族主义已经无法忍受，但区别对待更可恶，并且危害可能更大。人们可以对公开的谩骂和讽刺表示抗议，但是，遇到发过去的求职信没有回复，或者别人都得到了涨薪，唯独自己被排除在外的情况该怎么办？我们会感到无能为力、束手无策。在孤立无援的情况下，我们什么都不能做。最近的某些研究表明，一个信穆斯林教的求职者要比一个信天主教的求职者得到的回复少四倍。政府部门应该加强和系统化歧视审查，让那些雇主知道，有人在看着他们，他们会因为自己的行径而受到惩罚。面对各种歧视，我们需要发动整个共和国民众的力量。我坚信，如果人们——尤其是那些从未遭受任何歧视的人——抱着事不关己的态度，那么我们将一事无成。

对女性、种族和宗教少数群体、残疾人的歧视只是众多形态的歧视中的一部分。法律统计出的歧视有20多种。针对每一种歧视，我们都应加强立法，并将有关法律法规付诸实施。在这方面，法律的作用非常大。比方说，在法律的保护下，巴黎证券交易所市值排名前40的上市企业的董事会和监事会中的女性占比增加了：从2009年到2015年，这个数字翻了三倍。

但是，同社会歧视做斗争，仅靠法律还不够，还应该同时发展和实行主动搜寻和打击社会歧视现象的政策。为此，我要普及一项测试措施，这个方法非常有效——发送数百份除了性别、出生原籍和宗教以外，内容完全一致的简历，然后看在没有正当理由的情况下，某些求职者收到的回复是否比其他人少。

多为弱势群体着想，也体现在疾病预防上，因为这方面也存在着极大的社会不公现象。

我们常为拥有世界上最好的医疗制度而扬扬自得，而事情并非完全如此。确实，我们有世界上最好的研究者、医院和专业保健人员。但是，法国的医疗健康领域做得并不像人们所想象的那么好，尤其表现在它所反应的深度不平等问题上。

大多数人都不知道，法国在一些疾病——如癌症、肝硬化等——的预防方面成果并不显著，而这些疾病最主要受害者都来自社会底层。例子太多了，我在这只举两个：农民的孩子得蛀牙的概率要比企业高管的孩子高50%；工人的孩子患肥胖症的概率要比企业高管的孩子高三倍。

面对这种情况，我不认为将公立医院和城市私人医疗服务对立起来能够解决问题。恰恰相反，我们要尽可能鼓励两者互相补充、发展合作。同样，我也不认同将公众医疗问题与几十亿欧元的财政支出或社保赤字画等号。问题的重点不在于是否应该多收两三欧元的门诊费。

如果这样的话，我们就又一次与真正的问题擦身而过。

真正的问题出在别处，在于我们如何让疾病预防成为公共卫生政策的主轴；在于确定预防途径和手段，以便让人们有尊严地老去，并且尽可能长地维持其自理能力；在于避免每年因吸烟导致的7.3万起死亡和因酗酒引起的5万起死亡。

在这方面，我们也需要进行一场改革。首先，要强调预防的重要性。也就是说，把行政工作交给医生之外的人，这就需要开创一些新的职业，让医生将行政工作转交出去。这也意味着，我们要改进该领域的经济模式。全科医生不应再仅仅根据病情和治疗方式收费。要允许新的合同形式出现，比如对于小孩和老人这样敏感人群，甚至可以采用套餐付费的方式，相关执业医生有权决定采纳与否。

在医疗开销方面，我将继续维持高度的社会补助。我们必须用更有远见的方式推进改革，而不是每年进行小规模调整，结果却还是在原地踏步！改革不能像现行方案一样以年为单位，应该长期进行。只有这样才能针对体系进行彻底的改革。

在这样的条件下，我们才能对公立医院进行必要的重组。近几年来，法国公立医院正在经历资金、效率及体制危机，对此我们不能再充耳不闻。

我们必须消除实际工作与系统模式之间的阻隔，医疗体制改革不能完全靠中央政权。我始终相信，必须给基层医疗人员更多的自主权，尤其是各大区的医疗人员，因为只有他们才最了解当地的实际需要以及当地民众的特殊情况。我在霞慕尼镇看到的景象就是一个很好的例子。在那里，地方政府设立了一个综合诊疗所，对基本医疗设施进行投资，使医生能更好地在一起工作，并开展如远程诊断等创新业务。同样，在萨朗什镇，医院同一些私人医生建立起合作关系，从而将原来显得过小的医疗机构保存下来，并且有助于病人尽快出院，从而降低开支和改善医疗服务。变革从来不是自上而下发起的，而应该是从下而上去实施。

最后，在失业和退休问题面前，法国也并非人人平等。

我们的退休制度和失业保险都是旧体制的典型代表。过去，劳动者能在同一家企业工作一辈子，他定期缴纳养老保险和医疗保险，既不用担心失业，也不必考虑改行跳槽，不知道什么是生计无定和外部竞争。

当然，这一体系在最近几十年里发生过不少变化。仅从2003年至今，我们已经历了四次关于退休制度的改革。然而即便这样，这个制度的主要受益者还是那些形势大好的大型企业的员工，他们拥有长期聘用合同，在同一家公司从入职干到退休。但是现在，这样的员工越来越少。

我们再也不能满足于以前小修小补的做法。对同样的参数进行了无数次讨论后，我们发现，这个按章办事的、以劳动收入为主要资金来源的退休制度，已经不能满足30年来饱受大量失业冲击的社会的需要。我们讨论的重点，不应该围绕着是65岁退休还是62岁退休，不在于敲定如何推算实际工龄。尽管从人口变化、几代人之间的公平问题以及退休金体系的资金问题这几个角度出发，上述这些问题都不应该被回避。我们的重点也不在于想方设法划清工薪阶层同独立劳动者之间的界线，从而确定谁有能力缴纳失业保险。我们真正应该提的问题是更加根本的：怎样才能做到不让任何人被社会遗弃？在这个已经看不到昨日影子的社会里，怎样才有把握让每个人还能找到属于自己的位置?

如今，职业体系被切割得支离破碎，并形成一个由不同情况、不同工作和不同雇佣合同构成的万花筒。同时，我们也不再像以前那样对一份工作从一而终。我们的社会保险制度不但再也无法解决不公正，甚至还会加剧这类现象。

对于一个先在国营部门工作，然后去了私企，最后又辞职单干的人，他经历了不同的养老储蓄缴费机构和养老保险制度，我们如何能让他对自己将来的退休待遇有一个清晰的认识？对一个工作了一辈子的农民，如何向他解释他只能从农业互助保险基金部门领到一份少得可怜的退休金，并且和他一起辛苦了一辈子的配偶什么也得不到？鉴于现今人们的职业生涯不再一帆风顺，所有人都经历过"计算退休金"的噩梦。社会地位的不同又会导致同行不同命的现象，这也是另一种不公。对于那些签了短期合同，根本无权享受大公司提供的职业前景的劳动者来说，又谈何社会流动呢？

所以，我们的重建原则非常明了：必须围绕每个人、为了每个人而重建我们的社会保障系统，并且朝着普及、透明、平等的大方向努力。我们不应根据劳动者的社会地位或劳动合同向其提供不同的保障，而应以平等的方式，抛开社会地位，保护每个人。值得一提的是，在医疗保险方面我们已经实现了这一目标。

我曾谈到鼓励和保护职业过渡的必要性，在这里我也想强调一下由职业过渡引出的社会保障新架构。

为了鼓励职业过渡，退休系统必须更简单明了。今天，一个人要了解自己的退休待遇困难之大，还有因地位不同而导致退休金差异巨大，这都是不正常的。我们要在几年内将不同的规章制度整合在一起，以便逐步建立起一个普遍适用的退休制度。最终养老金的发放将不再是基于劳动者的地位是企业员工、独立劳动者还是政府公务员，而是基于其工作本质。在这个基础上再考虑缴费年限，而不是一刀切的方式，这样做对所有人都更清楚，同时也更公平。

今天，面对如此广泛的失业风险，我们的社保覆盖面却仍然很窄——只有工薪阶层才受保护。这一点很不合理。我在前面已经说过，我们必须普及并从深层变革社会体系。我们需要的不是别的，而是一个社会互助机制，一个人人都做出贡献而且人人都能从中受益的体系。所以，这个系统不仅保护被解雇的或主动辞职的工薪阶层，同时也保护独立劳动者，它的资金来源将以税收为基础，而不再是社会缴费。同样，社会福利的性质将不再是保险，而是社会互助。因此，我国失业补助金的上限（将近7000欧元，比欧盟国家的平均水平还高三倍以上）必须下调，国家管控的力度会得到很快体现。

因为社保体系的受益人不再是某几类劳动者，也因为其资金将越来越少地依赖社会缴费，而会更多地来自税收，国家必须承担起做战略决定的责任，而这些决定到目前为止都是委托社会合作伙伴做的。确实，直到今天，有关失业补助的协议都是由代表员工的工会组织和代表雇主的组织达成的，其中包括补助金的金额、期限和领取条件，等等。但是，失业保险造成的债务却由国家出面提供担保，然而国家对失业保险的具体事务又并无发言权。这也是我为什么认为政府应该将同失业保险相关的决策权收回来的原因，政府部门不能继续充当一个沉默的担保人的角色，当这个制度出现问题时，政府有权将其冻结。另外，政府部门再也不能仅限于对劳动争议的和解发表评价，且不说和解能不能实现。

总之我认为，在社会谈判、企业的内部规定和就业扶持方面，国家应该给社会合作伙伴更多的自主权。但在制度管理方面，则应该削减他们的权力。我们有一场硬仗要打，因为这一改变必将惹怒从旧制度中获利的那帮人。但是，这场战争可以解放目前正在困境中挣扎的人们。所以没什么好犹豫的，这将是我要进行的最重要工程之一。

当然，这绝不意味着政府要独断专行。我们没有理由终止社会合作伙伴参与管理的现状，而是要找到一种平衡。比方说，在医疗保险方面，目前的管理情况就是平衡并令人满意的。

在今后几年甚至几十年里，人与人之间的互相依存关系会变得越来越明显。首先，是因为法国人口的老龄化进程：到2050年，每三个法国人中就有一个年届60岁，而在10年前这个比例只有五分之一。其次，到2025年，婴儿潮出生的那一代都80岁了，预期寿命延长固然是一个极大的好消息，但是，为了使这个进步更称得上是进步，"给生命增加几年还不够，我们应该给有生之年注入更多的生命"。也就是说，要让老年人充分享受生活，继续同他人建立联系，按自己的愿望投身某项事情，随心出行，尽可能生活自理，并尽量发挥他们的社会作用。所以，我们的另一个目标是让长辈在健康长寿的同时保有足够的自理能力。

我们只对要达到的目标有共识还不够，将来我们还重新审视社会救助体系，以应对2050年左右财政支出将超出退休金总额的情况。这个问题关系到整个社会，其中不仅包括老年人，也包括数百万家庭和数百万负责老年人日常生活的护理人员。所以，我们当下的重点是应对这一新局面，它同退休和医疗保险无关，却又直接关系或在未来直接关系到所有人，无一例外。

第十一章
城乡结合

　　法兰西的梦想一直是实现统一。长久以来，国家希望从巴黎开始，将所有法国领土团结在一起，向它们提供同样的公共服务和基础设施。但是最近几年，国家就在我们的眼前被分化了。

　　同世界上其他国家一样，法国也面临着"大城市化"现象。大城市是社会开放的大赢家，那里集中了附加值很高的职位。世界生产总值的50%由300个城市创造出来，法国的国内生产总值的50%由15个大城市创造，其中排在最前列的有法兰西岛[1]和巴黎。与此同时，那些周边城市则集中了80%的贫困群体，他们遭受着企业倒闭、政府撤资、失业和无法享受文化活动的猛烈冲击。

　　我这么说，并不意味着反对大城市发展。相反，大城市是国家的机会，是我们发展经济、开拓业务、扩大就业和对外影响的源头。

　　那么，是不是应该放弃统一法兰西的梦想呢？在这个梦想里，我们的每一片国土都有着相同的模式管理。我的回答是应该放弃。让我

1　法兰西岛是巴黎都市圈，为法国本土的十三个大区之一，下辖八个省。

们回归眼前的事实，根据我们是生活在里昂市还是瑟堡市，在塞纳-圣丹尼省还是谢尔省，我们所处的现实就有所不同，对基础设施和公共服务的需求也不一样。那个政府对每个省都承诺相同事物的时代已经过去了，从今以后我们能做的，是让每个大城市的发展牵动周边，从而形成各地区间的和谐发展。

但在此同时，我们必须清楚地认识到，每个大城市对于它所属的地区都负有很大的责任。今天，多亏了大城市的活力，法国没有任何一片国土是封闭无援的。

大城市的人口仅占国家总人口数的40%，但它们却贡献了70%的私企新创就业岗位。在我看来，未来法国的发展，很大一部分将依赖于这些大都市同新大区之间的互补。

大都市对我们光明的未来至为关键，但同时也有它们的阴暗面。它们吸引来一些为了摆脱贫困不远万里而来的群体，从而造成了城市内部的分化：一边是充满活力的繁华城镇和街区，另一边则是越来越贫穷的城镇和街区。今天，大都市处在两边互不干扰的分化状态，但如果我们听之任之，明天就会演变成互相对立的状态。

所以，我认为在所有社会措施中排首位的，就是重组城市，从而实现社会融合。因为，所有现象都是环环相扣的。试想一个生活在80%的家庭都不讲法语的街区的孩子，他的周围会越来越封闭，他在公立学校里又整天跟出身相同、学习成绩不那么好的孩子玩在一起，那么这个孩子将来就不会遇到像他人一样的生活机遇。

是的，在今天的大城市里，社会分化首先表现在街区分化层面。所以我们要通过市政更新和住房建设政策，努力同这类现象做斗争。目的只有一个：让城市重新变成民众见面和聚会的地方。

这就对国家政策的实施范围有所要求了。这一范围必须够大，也就是要跨市，并且要适用于所有大城市，法兰西岛更是如此。在我看来，仅靠大巴黎[1]的改革不足以解决整个法兰西岛的紧急问题。

这样的重组意味着需要投入大规模人力和物力。然而，近几年来，法国国家城市更新机构的预算缩减了一半都不止。这一投资需要由私企的合作伙伴补足，并由地方政府机构管理。面对住房建设、公共区域的改造、地区网的建设等挑战，企业的资金能力和专业知识都将起着至关重要的作用。

在大都市，如果我们要重现社会融合的景象，并应对未来新的挑战，就必须建造住房。目前的住房政策已过时，它是为过去的家庭制定的，针对的是一个定居式的社会，并且遵循着传统的地区和家庭平衡原则，在今天的法国已经不再适用。如今，法国人已经改变了生活方式，他们比以前更频繁地搬家，而这往往是因为他们需要频繁地更换职业，因此造成了住房需求的爆炸性增长。一对夫妻离婚后，双方共同分担照顾孩子的义务，如此一来，他们需要的不是一套有两个房

1　大巴黎计划是法国总统萨科齐在职期间提出的巴黎城市建设新规划，旨在到2030年左右，将巴黎打造成一个充满创造力和凝聚力的"世界之都"。

间的住房，而是两套各有两个房间的住房。

近几年来，法国家庭用于住房方面的支出明显增加。在20年里，二手房的价钱上调了150%，而人们的收入仅增加了50%。房价问题的背后，隐藏着住房数量的问题——住房供不应求，尤其是在人们所称的"房源紧张地区"，即法兰西岛、蓝色海岸和一些大都市，这些地方集中了大部分的住房情况不稳定问题。

我想在这些"房源紧张地区"快速、大规模地建造住房。

为此，首先要简化我们的办事逻辑：不能继续让城市化法规变得更复杂，不能大量增加技术规定，也不能延长有关程序所需的时间。我们必须停止迟疑和踌躇，在两者间做个选择：要么将绝对重点放在建造更多住房上，要么继续不断增加法律法规。两者齐头并进，只可能两者都失败。我的计划是尽一切可能，在民众有需要的地方建造住房。

然后，我们需要有百折不挠的决心。我们绝不能接受地方代表为了维持政治平衡和高热的房价，而不尽他们作为选民代表应尽的责任。法兰西岛的建筑工地分布情况表明，每一个省的新工地都集中分布在四到五个城市，而这些城市跟那些没有工地的城市特性相差无几。所以，还是政策问题。国家必须在面临同样问题的大都市实施特殊的建房程序，从而放宽房地产政策，加快操作，使得每年都能快速建造出几万套必要的补充住房。

这种有针对性的建造措施，是满足大都市住房需求和降低房价的唯一有效方法。因为它可以缩减近几年来政府提供的大量住房补贴支出——为有困难的家庭提供补贴，同时又不解决住房建造问题，我们实际上在做的是在助长房价攀升。

在大都市和人口密集区周围，还有一个被称为"环线"的市郊。在那里，人们出行的工具是私家车，这就会产生环保问题，并且随着住所到办公室的距离越来越长，路况越来越挤，当地居民的生活也会越来越不便利。

这些被称为"环线"的地区通常缺乏基本的公共设施、交通工具、托儿所和文化场所等。那里的日常生活条件很差，大都分布着日渐残破的独栋小楼，还有住房、仓库和小型企业混挤一处的住宅区，而大家很清楚这样的小区会产生的问题。这样一个法兰西，对社会缺乏信心，排斥所有的社会制度，并逐渐向极端思潮靠拢。这个法兰西需要政府和个人在城市更新方面给予投资，形成更大的跨市镇规模，从而在大都市边缘重新建造一个城市和自然和谐共处的生活区。

同时，我们还必须让组成国家主干的上百个中等城市更加活跃，尤其是这些城市的市中心。大家都知道，在市政建设过程中，由于缺乏对商业建筑规模的考量，往往造成规模过大的商业中心建在某些城市的外缘地带，这又直接导致了市中心的商店无人光临，地产贬值，以及其他接二连三的问题。事实上，这些城市的市中心才应该是经济发展的优先地区，因为这里有能为整个城市提供就业机会的中小型企业。所以，我们应该强化"城市中心"的概念。

与大城市一样，一些中等城市也同样面对"落后街区"产生的问题。在那里，也要重新建立社会融合。

我前面提到过，法兰西是大都市引领的法兰西。但是，并非所有的人口集中区以及大型市政区都有同样的活力。

有的地区曾经拥有重要的传统工业，然而多年来经济却一直在衰退，因为过去推动城市发展的那些工业渐渐被淘汰了。

大家知道，在危机最突出的时期，某些法国东北部的传统工业区在两年内就失去了10%的就业岗位。并且不幸的是，这一衰退仍在继续。它带来非常严重的后果——失业率越来越高。当地年轻人在那里看不到前途，便离开家园，从而加剧了衰退。工薪阶层的状况则更加糟糕：他们通过大量贷款买了房，现在因为房价下跌，他们连离开的机会都没有了，除非愿意付出失去一切的代价。

这些地区的居民如同陷入泥沼一般深感绝望，我们又怎能期望他们对生活仍抱有希望呢？

为了让这些地区重获活力，国家必须有所行动，但并非不惜一切代价延续那些过时的工业企业，而是鼓励一种同今天的经济更相符的增长逻辑，这要求我们从知识和技术方面着手。尤其对于有大学的城市，政府应该加强资助，让它们在职业教育方面起关键作用，同时带动整个地区的发展。必须通过创新、提高质量、引进新的工艺鼓励创业，并为一些传统行业注入新的活力。如果我们帮助它们进行现代化改造，这类企业就能重获生机。

贝桑松市[1]就是一个很好的例子。其代表性企业——历溥公司曾在20世纪70年代初关门大吉，因为那个时候，当地钟表业缺乏投资，对行业的未来也没能做到未雨绸缪。钟表业是这个地区的基本工业，却因石英技术的到来而被淘汰。然而今天，贝桑松的就业岗位比以前还多，这是怎么做到的？市政府、省政府、国家和企业都在历溥的员工培训和技术革新上投入了资金，结果，钟表业重获成功，也让在当地创立和发展数百个中小型企业成为可能。与此同时，政府和私人还资助创办实验室，进行技术创新，如今这个城市已经成为精密技术的首府。

经济发展就应该通过这种方式实现。这也解释了为什么在工业政策方面，我从来没有不惜一切代价去保护已过时的企业，而是更主张开创新企业，或者让旧企业引进创新技术。因为要保护的不是就业岗位本身，而是工薪阶层。所以，我们要容许企业改变和发展，还应该让员工享受职业技术培训，让他们以最佳的状态迎接正在进行的大变革。

最后，我想谈一下最后一个法兰西，那个总觉得自己被所有发展排除在外的法兰西——乡下的法兰西。难道这个法兰西就注定要被遗弃吗？我不这么认为。

首先，城市居民从来没有放弃乡村的生活环境。法国人越来越愿

---

1 贝桑松市，法国东部城市，以钟表业而出名。

意住在城里，但他们同时也是大自然的爱好者。对他们来说，乡村生活有着莫大的吸引力。他们去那里度假、过周末，或者翻新农庄以及老宅子。

其次，我相信，乡村是可以发展生产性经济的。这个经济首先是"居住性"的，通过翻新住宅、开发旅游业和推广本地特产等方式实现初步发展。在此基础上，乡村经济可以转向新科技领域，并靠这些技术缩短空间距离。这样一来，服务业（如电话服务）或数字化相关行业，都有可能在那里发展起来。有了创新，工业也能够站住脚，洛特省[1]塞尔河畔比阿尔市的安德鲁公司[2]就是一个很好的案例。

这些滞后地区必须成为试验的良土，而国家制定的通用规定和其中传达的谨小慎微正是乡村发展的敌人。各地乡村的情况不同，不能靠单一的手段发展经济。乡村地区需要能够承担风险，进行实验和尝试。

对于那些每年都流失人口的十多个农村省份，我也希望有不同的应对措施。它们等待得实在太久了，以至于那些上了年纪的人、那些农民都感到被抛弃了。这些土地是我们国家的立身之本，它们的衰落使我们绝望。在交通设施建设方面，从盖雷[3]，经过富瓦[4]、加普[5]和

---

1 洛特省，法国南部的一个省份。

2 安德鲁公司，法国食品企业，以果酱和奶品制而著称。

3 盖雷，法国中部山区省会城市。

4 富瓦，法国南部山区省会城市。

5 加普，法国南部山区省会城市。

欧里亚克，再到芒德[1]，每个地区都必须有至少一种快速交通方式，将它们同对其自身发展有利的城市和业务地有效地连接起来。这些必要的基础设施需要在五年内建成。关于移动通信和光纤，如果运营商不能遵守他们的承诺，国家就要把铺设任务接过来。关于医疗服务，必须围绕现有医疗体系尽快建立综合诊疗所，或者将当地已有的从业人员组织起来，建立新的诊所。关于能源，我们要决定制定特殊程序，加速天然气和风力发电站的建设。

关于政府提供的公共服务，必须确保各个地方都有学校，并且要在房屋和公共设施建设方面走得更远，就像近几年来邮政局所做的那样。最后，必须帮助农业工作者进行生产和土地整改。要做到这一点，需要通过一系列的举措来保护农业用地和家庭农耕文化的传承，保护他们不受气候灾害影响。在这些地区，我刚才提到的那些努力都极为重要。正是这些农业工作者，包括农民，是他们创造了法国的风景，创造了我们的国家并维系着我们赖以生存的土地。当绝望在这些地区蔓延时，国民的集体斗志中就有一些东西坍塌了。我们必须重新改造这些行业的结构，给他们一个合理稳定的价格，使他们能继续生存和投资。

所以，在本土我们必须让政策配合各地的实际需求，在海外领土也同样如此。我们了解这些领土的多样性——历史和地理多样性就不

---

1 芒德，法国中部山区省会城市。

用提了，行政划分也很多样：从马提尼克、瓜德罗普、法属圭亚那、留尼汪和马约特等省区，到地位特殊的新喀里多尼亚，以及圣皮埃尔和密克隆、圣巴泰勒、圣马丁、瓦利斯和富图纳和法属波利尼西亚等地方行政区。它们也有一些共性，比如说失业率（尤其是在年轻人中间）高于国家的平均水平，生活水平高，工资水平却比本土更低。结果就是，贫困更严重，生活质量更低，基础设施匮乏，哪怕有战后投资也于事无补。

平等并不是说，在离法国本土十万八千里的岛上，不顾这里市场有限、被低收入国家环绕、远离欧元区及其规章制度的现状，依然坚持践行与本土一致的法律法规。这些地区应该拥有其特有的、创新的法律法规，拥有给予真正的海外企业，拥有一个打破束缚的社保和税收制度，以灵活并有鼓励性的政策来吸引私人投资创新领域，如生物多样化、海洋技术等。这些地区要的不是法国本土的施舍，而是平等的待遇，这样才能在自己那片共和国土地上取得成功。

法国既是一个不可分割的整体，同时也是非常多样化，我们必须从寻求一致性的逻辑转变成一个尊重个性化和主动性的逻辑。这是维持我们国家完整的关键。

正因为国土的多样性，我希望实现一个新的法兰西的行政结构。国家必须下放权力，和地方政府找到新的合作方式，发展符合各地情况的新政策。在刚划分的大区，鼓励"大区—大都市"的组合。具体来说，我认为在其所属地区，大城市应该能够接管和行使省级权力。

在农村地区，起发展作用的不是城市，因为城市的规模太小，那些城市的管理权可以转到省政府，最小的那些城市或许可以被重组。

总的来说，在我们的国土之上，各个部分之间重新建立互助都必不可少。

关于这个问题，我们不应该继续在那些老旧的话题上纠缠。问题根本并不在于该保留还是取消省级政府。在经济实力较强的城市地区，也就是实力强的大都市地区，我不认为省级管理还有什么用处。从这个角度来说，法兰西岛就是个例子。相反，在那些以乡村为主的地区，省级管理应该成为带动当地发展真正的火车头。

我尤其认为行政区划应该以采纳地方的建议为主。让我们回顾一下近期那些建议，将过去的阿尔萨斯地区的两个省合并，或者是在布列塔尼设立一个议会，从而在当地形成一个唯一的行政区。同样，还有罗纳省和里昂大都市的例子。很多地区都有一些更好的组织政府管理职能和节省开支的想法。我们应该学会倾听这类想法，并予以认真考虑。

我知道，在这里我触及了一些禁忌话题。但是，只有这样我们才能缩减政府开支。不是靠一刀切的做法，而是靠推行一种能使我们所有领土都受益的政策。

在这方面，就像在许多其他方面那样，我支持一个由基层工作者建立起的法兰西。

CHAPITRE

第十二章
热爱法兰西

如今，法国必须在风险、恐怖主义暴力以及各种不确定因素中求生，不少人却只满足于展示权威、力量和重申原则。一部分人想说服民众，口头伸张权威可以让国家稳定，然后把剩下的部分交给禁令和治安措施就行。另一部分人则宣称，法兰西是一个停滞不前、囿于黄金时代的幻想而逃避与外界交流的国家。

我们的国家不是上述任何一个。面对眼前的挑战，唯有靠意志才能维持国家的团结与和谐。这种意志能推动我们前行，在划清价值观界限的同时又将民众聚集在一起，并让人民在各种不可控因素中坚持下去。是的，法兰西是一种意志。

法国不是无根的浮萍。我们的意志是这个民族宝贵的历史遗产，指引我们应对新的挑战。

在我看来，热爱法兰西，就是要同一切企图分裂或封闭国家、让我们承担内战风险的行为做斗争。热爱法兰西，就是热爱思想自由，热爱共同的文化，热爱一个既有原则而又宽厚的民族。

正当我们展望新世界时，曾经的威胁又出现了——包括以恐怖袭击为代表的外患，以及身份归属冲突的内忧。

我们绝不能让恐慌占据内心。关于这一点，在我看来，面对接连的恐怖袭击，受害人家庭所表现出的尊严值得所有人学习。

我们的敌人是达伊沙，不管是在国内还是国际上，我们都必须坚决地同它斗争。但这不意味着我们可以把所有问题混为一谈，任由一些细枝末节的争论分裂国家。

如果说今天有许多土生土长的法国年轻人（或不那么年轻的人），在接受极权主义洗脑后展开自杀式袭击，这背后有一条复杂的逻辑线，我们可能到现在还无法解释其中所有的决定性因素。但通过基尔·凯倍尔[1]、奥利弗·罗伊[2]以及其他专家的分析和考察，我们可以略知一二：达伊沙组织会操纵人的思想，利用人性的脆弱、个人精神问题以及一些人对共和国的不满或怨恨，通过宗教和政治意识形态进行布道。由于背后的原因多种多样，所需的应对手段也超出了正常安保措施的范围。这些人在我们的国土之上投身恐怖主义活动，被极权主义思想蒙蔽了双眼，并向我们的文明发起挑战。

从宏观角度看待这个问题，目前我们所经历的社会分化现象加剧了身份归属的矛盾，这种矛盾又使我们丧失了一致对外的能力。

这种归属感的丧失源于国家30多年来都未能解决的失业问题——

1　基尔·凯倍尔（1955 - ），法国政治学家，伊斯兰和中东问题专家。
2　奥利弗·罗伊（1949 - ），法国政治学家，伊斯兰问题专家。

我们放任贫民区在城市里日益扩张，几百万年轻人渐渐失去信心和希望，这些年轻人的父母往往也都失业已久。就这样，对共和国的怀疑、忧虑甚至憎恨的情绪开始滋长蔓延。面对这一现象，我多次提起过"政治和经济精英的背叛"。正是因为在面对这些眼前问题时，我们往往缺乏意志和勇气，才使得法国民众变成懦弱的替罪羊。

同所有制造恐慌的人做斗争，要从重申几个原则开始。

在我们国家，人人都是自由的，可以有自己的信仰，也可以无信仰。每个人有相信或不相信某一宗教的自由，并且通过内心深处的感受决定自己信仰到什么程度。在成为一项禁令前，政教分离首先就是一种自由，它的存在是为了帮助所有人融入集体生活，而不是用来反对另外的宗教，更不是排斥或指责其他宗教。这是我们文明的基石，而不是精神枷锁。如果某些人利用国家的这一根本原则去试图驱逐另一群人，那民众怎么还会相信共和国呢？

如果说法兰西民族拥有完全的思想意识自由，那么法兰西的法律也需要人民无条件严格遵守。在法国，有些问题是没有商量余地的。公民责任的基本原则如此，男女平等如此，拒绝排犹主义、拒绝种族歧视、拒绝拿出生原籍做文章亦是如此。

还有一点值得注意，尽管如今原教旨主义在众多宗教都有抬头之势，却唯有伊斯兰教成为社会的话题中心。我们必须冷静、负责地共同参与这场讨论。

我们正面临选择，在历史上我们也曾经数次处于同样的状况。我们要反对某个宗教吗？要将它驱逐吗？还是帮它在法国找到属于自己的位置？帮助它融入我们的民族？我们时常误入歧途，国家也仍保留着宗教战争的惨痛记忆，这些战争曾席卷所有的城市和乡村，并几乎彻底摧毁了我们的家园。

当然，我们也有过让其他宗教融入共和国的成功案例，犹太教就是在共和国的尊重、保护和热爱下建立起来的。

现在，极端组织想把我们拽进内战的深渊，我们千万不能上当。

关于这一点，法国的主教们比许多政治人物看得更清楚。在圣艾蒂安-迪鲁夫赖[1]恐袭事件后，主教们的反应令人敬佩，这就是最好的证明。

关于伊斯兰教在法国的组织结构，我们也曾有过好几次提案，目的是让穆斯林民众既能更好地表达信仰，又能更多地融入当地生活。同时，政府保证他们能自主、便利地资助朝拜场所，并对那些尊重共和国法律法规的传教士给予支持。我认为，这些建议的出发点都是正确的，也承诺将沿着这个方向继续下去。

如果我们有心让伊斯兰教融入法国，就应该要求定居法国的穆斯林履行义务，这些义务条款必须公开、透明，并且我们要帮助他们体面地从事宗教活动。同时，我们也必须帮他们摆脱与国外极端组织的

---

1 圣艾蒂安-迪鲁夫赖，位于法国西北部诺曼底省，2016年，这里曾发生一起84岁神父被割喉的恐怖事件。

联系，斩断不干净的资金来源。我们绝不能为了贪图方便，而向无法接受的情况做出让步。

接下来，让我们共同向极端伊斯兰宣战，向那个试图渗入某些街区，并将自己的意识形态凌驾于共和国及其法律之上的伊斯兰宣战。怎么做呢？我的建议不是制定新的法律法规，因为我们已拥有一套完备的法律体系。从现在起，我们要做的是贯彻这些法律法规，要粉碎那些在人们心中播撒仇恨的种子的组织——他们教唆人们仇恨共和国、仇恨法兰西的价值观、仇恨这个民族、仇恨把国民凝聚在一起的力量。不少萨拉菲[1]协会在年轻的法国人身边散布文化攻击，不仅如此，他们还占领了被共和国遗忘的区域，在公共服务缺失的地方提供帮助和救济。我们不必害怕，而是要进行不屈不挠的斗争。在基层，我们有勇于捍卫世俗化政策、妇女权利和共和国法律规章的群众战士，我们必须帮助这些战士，因为他们所代表的协会能够直接配合政府振兴共和国。

国家及其代表的责任，就是做到照章办事。在批准设立任何一个传教场所之前，都需要多次确认双方大原则上的一致性，责令那些有问题的传道场所提供解释，在必要时可以按照宪法的规定关闭或查封某些场所。

其次，我们必须为那些被忽视的街区勾画一个更加明亮的未来。

---

1 萨拉菲是伊斯兰教的一个极端主义教派，信奉没有删减或更改的伊斯兰教原初教义。

这些街区之所以被忽视，也许是因为当地的社会和经济困难过于集中，也许是因为我们的政策只解决了表面问题。我们确实在推行必要的市政建设改革，在很多地方也都做出非常了不起的成绩。但是落到实际工作上，我们只是分配给当地居民一个住处，然后告诉他们："我们给你们重建了街区，但是你们不能去市中心的学校上学，也不能享受公共交通和文化活动。要想接受培训或上大学难上加难，至于就业……你们想都别想了！"

我们必须通过积极正面的措施，重新收复这些街区。只是做到面对敌人态度坚定还不够，还需要在边缘街区重新投资，给当地居民提供更多机会，让社会流动变成可能，维护他们的尊严。我们的最终目标是让他们找到自己的位置，在这个充满活力的、团结的、被相同价值观联结在一起的集体中找到归属感。这就意味着要给他们提供教育和职业的流动性、接触文化和娱乐活动的机会，等等。事实上，人们在某些极端宗教或政治意识形态中寻求的就是一个人生方向，一种精神寄托和归属。

这项任务很艰巨，耗时会很长，并且对所有民众都有严格的要求。尽管拥护共和国和加入宗教属于两个截然不同的范畴，但我一直认为，这项任务至关重要。在当今这个时代，不管我们选择怎样的信仰，我们都应该把对共同目标的追求和对他人的尊重放在自己个人信仰之上。

简而言之，目前亟待解决的问题是：绝不能对那些会造成社会分化的、充满仇恨的言论让步，要为自由尽一切努力；帮助伊斯兰教找到它在共和国的位置；同时在国家重要原则前毫不妥协，坚决反对任何拉帮结派、封闭排外的倾向。

但这样做还远远不够。如果我们忘了自己的根，国家就无法挺直身板、勇敢向前。文化传承是法兰西民族的精髓，只有这样，我们才能在这个节奏越来越快、路标越来越模糊的世界中让每个人都知道自己的出发点和目的地，不论未来是好是坏。

如果我们不虚心接受，不学习前人的经验，那么，我们将一无所成、毫无价值。如果我们不深入了解法国的历史、文化、根基和历史上的伟大人物（如克洛维一世、亨利四世、拿破仑、丹东、甘必大、戴高乐、圣女贞德、共和国二年之战士[1]、塞内加尔步兵团、抵抗运动成员等），我们就无法重建法兰西，无法展望未来。

法国是一个整体，谁也不能既想做法国人，同时又全盘否定这个国家的过去。前辈传下来的历史和文化，是我们共同的基石，因为过去是未来的开端。这也是为什么共和国的英雄始终在与时俱进——小学教师、中学教师、大学教授、学徒制的师傅，包括传递正能量的企业主——那些付出时间传授知识的人都将成为历史上的英雄。

法兰西文化将我们凝聚在一起，把我们连接起来，它不应该只属

---

1 共和国二年之战士，1793年（即共和二年）法国大革命时期奋起抗击欧洲封建联盟国家武装干涉的共和国士兵。

于精英。恰恰相反，它应该面向大众。我曾好几次看到一首诗、一篇文章引起人们的共鸣，消除人与人之间的隔阂，就像我在公众集会上提到纪德或阿拉贡的著作时所引起的共鸣，以及我自己听到阿布德·马立克[1]谈论加缪的著作时感受到的那种共鸣。

这些历史文化遗产是我们与社会分化做抗争、反对极端、反对屈服的武器。

然而，反抗并不是我们传递文化和情感的唯一目的。

更重要的是，我们要一起找回生活中最美好的部分。我们丢失了那些古老的传统习俗，在比利牛斯山村庄，我在姑妈家曾见过街坊邻里间互相帮助、不抛弃任何人、悉心照料父母的生活状态。如今，我们已经遗忘了这种最单纯的关怀。

政治同生活的意义是两码事。我不明白，政治——哪怕是被喊成救世口号的政治——怎能代替神灵和信仰在生活中的位置？凡是拥护共和国的人，都不会忘记博爱。这是法兰西座右铭中的第三个词，它经常被认为是最隐晦的，但事实上它的初心是善意和包容，是跨越籍贯障碍，将自由和平等连接起来。那些奉献自己、加入各类协会、对公益活动慷慨解囊的法国同胞完全理解了博爱一词的含义。博爱是排斥的反义词，也是法兰西孜孜追求的目标的隐形核心。

说到底，我们每个人和整个社会似乎都缺了点什么。西方社会

1　阿布德·马立克（1975－），法国非洲裔当代歌手。

的发展模式仿佛将人们笼罩在某种压抑的悲伤气氛中，每个人都被安排到了一个功能性的位置上，不管这个功能是"市场"的还是"国家"的。

那些曾经深藏在我们内心、体现在日常生活中，不能用金钱、社会地位和效率来衡量的神秘而经典的东西，好像完全消失了。

对于所有法国人来说，不管个人追求是什么，他们都无法想象一个没有城市——那个凌驾于自己之上的政治空间——的生活。让城市有生命力，我们要做的不仅仅是投票、参加选举、制订计划或执行计划那么简单。

政治必须反映我们的价值观。而效率不是价值的唯一内容，这里还有很多其他东西。一味追求经济效率，会将人们的生活摧毁。在那些过于复杂的企业中，已经没有人关心谁在指挥、谁在服从。不管是员工还是管理层，工作者似乎被一种不明所以的无形系统困住。这种去人性化管理，追求所谓的最优结果，终有一天会将我们引向灾难。

热爱法国，就是认可它的价值。几十年以来，这个简单的愿望一直是我们移民政策的核心。法国对移民敞开大门，不仅仅是出于它的慷慨和历史传统，还源自共创未来的决心。在这个未来中，外国人民是有益的，也极其必要，最终也将由外国人自己决定是否全身心投入这个集体的缔造过程。

每年，有20万外国人到法国定居。其中，差不多每两人中就有一个出生在欧洲，每十人中有三人出生在一个非洲国家。

关于政治避难这个特殊问题，我们必须对相关申请的审核条件进行改革，设法大幅度缩短审核时间，包括重新整合避难准许制度和法律程序，让有权得到法国保护的申请者快速得到接待、培训和照料。但是，在经过更高效的程序审核之后，那些仍然没有满足条件的人则无权享受避难权利，必须被遣送出境。

我必须开诚布公地表明态度：以人道主义方式对待难民，不是让他们误以为我们会接待所有人，结果却在没完没了的程序后，签发几个少得可怜的准许证。这种做法实际上并不人道——我们让申请者在法国国土上居住了好几个月，让他们走完所有程序，最后却决定将其中大部分人遣送出境。在此期间，他们在法国定居下来，有的还生了孩子或结了婚。如果我们不执行审核结果，那些人又将陷入非法拘留的境地，成为因为没有身份文件而注定被边缘化的群体。正因为目标不明、政策效率不高，我们最后的成效同最初追求开放的想法相背离。要做到人道主义，就要找准角色，承担责任，快速审核避难申请，并对符合条件者尽快做出决定。

同时，那些因难民穿越沙漠和地中海而造成的不道德、不人道的丑闻，我们也必须终止。是的，在这个问题上，我们有错。我国法律要求我们审核避难申请，而不容许申请者不请自来。但即便这样，他们还是会通过各种方式过来。结果，数千人死在路上，而我们也难辞其咎。对避难申请的审核应该在距离战争区域最近的地方进行，比如说其周边国家。人们也许会说，有的领事馆没有相关工作经验，但它们必须熟悉这类事务，因为这是个尊严和效率的问题。在欧洲历史上，整合都柏林体制就是一件荒唐事儿。当时，这一系统要求与战乱地区接壤的欧洲国家首先接待难民，结果却让相关国家劳民伤财，又让难民们四处奔波，痛苦不堪。由于知道接壤国并不会接受他们，难民最终只能去往欧洲中部避难，如法国、德国和意大利。

除了难民，我们还必须向那些希望融入法国社会的人提供申请程序上的便利，而不能让那些希望在法国生活，或是希望加入法国籍的外国人排好几个小时的队，从这个窗口换到那个窗口，然后盼望着六个月或一年之后能拿到结果。一旦审核标准清晰明确，程序操作应该在二到三个月内完成。这就是我心目中一个友善开放的民族应该做到的。

当然，友善开放的另一面是严格要求——法国不能无条件地接受任何人。因为法兰西的价值观，即我刚才描述的那些自由权利，是没有任何商量余地的，而且永远也不会有商量的余地。谁也不能披着慷慨或存异的外衣，肆意改变标准，动摇男女平等、思想和宗教信仰自由、不信教的自由等。法兰西之所以伟大，就是因为它能向真诚融入这个国家的人们提供上述自由。所以，每个来到法国的人都必须承诺遵守甚至捍卫这些价值观。作为回报，他们也应该被完全接纳，得到完整的社会保障，而无须日夜担心自己的忠诚会受到这样或那样的质疑。

我不认为这些法兰西所珍视的价值观即将消失。法国并不脆弱，它不必为自己的立场而辩解，只需表明态度就已足够。我们缺少的是高效、明确、有针对性的政策，这也是造成我们今天无法忠于民族形象的现状的原因。我们要有想象力、坚忍的意志和足够的耐心，要展望未来——法国人的优秀品质还在，它们只是暂时沉睡或受到压抑了。事实上，我们距离心中的法兰西仅一步之遥。

CHAPITRE

13

第十三章
反恐维稳

如今，有不少政治人物声称法国不堪一击。这样的论调随处都能听到，但我非常明确地相信——这些人错了。不仅如此，他们还欺骗了法国民众。

确实，目前国家形势十分严峻，我们经历了很多悲剧性事件，比如可怕的恐怖袭击让整个社会动荡不安，世界潮流的变化也打乱了它原本的步调。但是，法兰西不是纸牌搭起的城堡。多少世纪以来，我们一直位居世界前列，也曾经历过远比现在更困难的考验。现在，法国人口数量正在强劲增长，我们拥有不容置疑的融入能力、无与伦比的文化积累和绝无仅有的坚强意志。

面对当代的威胁，我们有责任安抚并保护法国民众，因为这是国家的首要任务：即使我们心存恐惧，也要捍卫法国人民的自由。

我们生活的国家正在同"极端组织"英勇抗战，同时，我们还要面对近几年来频繁出现的暴力和有损公共秩序的行为，以及在某些街区日益激化的矛盾。由此可见，我们面临很多问题，并且性质各不相同，我们必须在这个高风险社会生存下来。

当前还出现各种危险的幻想，其中一种观点认为，通过设立屏障、取消国籍、将恐怖嫌疑人登记入册、设立恐怖嫌疑人禁闭营、忘记或无视1789年《人权宣言》，就能彻底铲除邪恶势力。

自恐袭事件发生以来，政客们提出了不计其数的方案，旨在讨好选民，其中不乏许多无用且令人担忧的成分。正像在许多其他领域一样，我看到法国民众在担忧之余，反而表现出一种淡定、一种力量、一种决心，这同部分政界人士的无序和骚动形成了鲜明的对比，尤其是（但并不仅限于此）那些将传统的右派想法向极右派靠拢的言论。在这个所有人都觊觎高位的场合，那些所谓的普恩加莱[1]和戴高乐的继承者，却只是关心学校餐厅的菜单、着装要求、获得与剥夺法国国籍的条件，毫无新意。

这样一来，且不论这类建议是否有用（这一点我们应该进行公开讨论），他们本身已经犯下大错，这个错误不仅是政治和道德层面的错误，同时也违背历史趋势。

没有哪个国家（尤其是法国）可以通过否定自己的立国之法及其推崇的精神，而战胜所面临的考验。所有的抗争都需要傲气，需要自信，需要坚定的信念。完全从实用角度出发，我国的反恐系统已经足够完整，不需要再增加什么特别的司法制度、关押营或者剥夺恐怖分子法国国籍的计划。我们都很清楚，限制所有人的自由和降低对公民

1　普恩加莱（1868-1934），法国政治家、法国第三共和国总统（1913-1920）。

的尊重，这种做法不可能达到增加安全系数的效果。打个比方说，我国颁布取消死刑、拘留期间有权约见律师这类规定后，刑事案件并没有增多。我坚信这些幻想本身就是有害的，因为它们毫无作用。如果顺着这条路往下走，法兰西将要面对新的危机，而且在路途中它也会变得面目全非。

据说，某些人建议将所有列在S级档案的人都关押起来，让他们无法再危害社会。还是这些人，似乎是为了宽慰民众，狡辩说只有最危险的才会被关押，却又没有人说该如何界定所谓的危险程度。更何况，即便是情报机构——总不见得说情报人员也是整日游手好闲或者是外行吧——都不建议采用此类措施。靠危险的方案来减少危险的做法，这是行不通的。不加区别地关押所有列入S级档案的嫌疑人，只会使情报系统的效率大打折扣，尤其是会把我们从一个法治国家变成警察国家。这样做既无作用，也不民主。

我们跟其他国家不同。除非是迷失自我，否则即便在这样的困难时刻，我们也会坚持走自己的路。这是每个法国人都应该维护的财富，是法兰西的形象，是它的优良传统，也是历史给我们的启示。也正是因为这些财富，每当关键时刻，法国在根本性问题上发表的意见仍在全世界占有一定的分量。这个声音在说，我们反对一切对人类事业无益的过激行为。

法国的身份认同就体现在这里，而非别处。某些人自称是法国身份的捍卫者，但他们真正服务的却不是法国，而是他们的幻想，结果往往贬损了整个国家。

也是出于这一理由，我们必须时刻做好准备，一旦情况允许，就解除紧急状态。恐怖袭击事件发生后，宣布进入紧急状态是必要的，因为这让我们能立即采取在常规法律制度条件下无法执行的必要措施。我并不是说，即使再发生危机，也无须再进入紧急状态。但我们都知道，无限期延长紧急状态带来的问题反而比它所能解决的问题更多。国家不能无止境地处在特殊状态下，我们必须回到已经由立法者强化的常规法律状态，使用适当的法律手段。法国现行的法律体系已经足以让我们长期应对目前的状况。

这绝不意味着我们要姑息放纵那些违反国家原则的言论或行为，尤其是在宗教领域。但是，为了减少恐怖主义分化——用外科术语来说就是为恐怖主义"正骨"——我们唯一能做的就是决不让那些为恐怖行为辩护的人有任何立足之地。为此，必须以信任为基础，发动整个社会参与进来。如果有谁背叛了这种信任，就必须受到惩罚，并且是严惩。反过来，最不可取的就是因为少数人的反动宣传和恐怖主义行为，即被疑心驱使，将成群的法国民众关押起来。

这里也一样，我们一定要改掉不断在法律上做文章或者无休止修改刑法的坏毛病。行之有效的做法，应该是先由国会对警察和法院的组织结构及手段进行严格审核，继而在这些部门进行改革。

那么，怎样确保公民的人身安全这项法治国家的首要自由要素呢？

军队只是万不得已的手段，它既不能用来作为管教年轻人的常规模式，也不应当成为在国土上维持秩序的武力方式——军队的作用在战场上。越来越多的政治首脑申请法国军队介入社会治安的维护工作，这一举措固然可以表达我们对军人的敬意，因为多年以来，他们经历了一般政府机构很难做到的改革和重组，身负重任，值得所有人尊敬。但是，军队毕竟不能用来弥补我们在国土安全措施和教育体系方面的不足和缺陷，我们可以适时增加军队的任务。在深入考虑服役制度的条款后，如义务、期限和福利等，可以进一步发展现行预备役制度。不过，把预备役部队当成国土安全的遮羞布，这种行为既没有可操作性，也很危险。

所以，动用近一万名武装人员的"站岗"巡逻行动是保护国土安全、安抚民众的必要措施。要在今后短短几个月的时间内结束这一行动既不现实，也不恰当。我们目前可以做的，一方面是在"站岗"行动后继续保持目前的军队编制，另一方面要尽快做准备，通过招聘来扩充我们的警察和宪兵的力量。

从更大层面上来说，法国先进的治安维稳体系还来自上一个时代。那时候，恐怖主义并未构成重大威胁，犯罪形式同今天也不一样。在今天与恐怖主义的较量中，我们需要一种与以前完全不同的逻辑，从而做出有效、快速的反应。这就需要我们同民众建立起信任关系，需要在国土上保证不间断的治安巡逻，也需要更多地借助民众力量。因为只有这样，我们才能收集更多信息，才有利于我们锁定和追踪危险分子。

实际上，反恐斗争首先是一场情报战，需要警方工作足够细致、隐蔽。如果我们决定将监控或监听对象关押起来，这个工作就不可能实现了。

关于安全和维稳工作，我们必须承认自己过去曾做出一些错误决定，而这些错误直到今天还没有被纠正。

首先，我们在警察的组织方面有问题。我们几乎取消了国内所有的情报手段，而今天我们正在承受这一做法的后果，因为反恐行动的效率主要取决于我们在城市甚至街区层面获取情报的能力。所以，除了这几年正在进行的改革之外，我们还要重新建立一个高效的国土情报系统。另外，政府未能充分利用从互联网上获取的信息及各部门提供的资料。所以，除了必须解决部门间的协调问题外，还应像英国或美国人那样，增设一个处理大宗情报和信息的情报中心，它可以直接向国防委员会汇报，因为后者能够集中高层信息，与基层获得的情报互为补充。

出于意识形态的原因，我们在10年前取消了维护街区治安的"片警"制度，如今也给社会带来严重后果。这个制度在建立之初，虽然遭到了众人讽刺，但它既不是随意的空想，也不是政府的炒作手段。我们绝对有必要重新建立一个贴近民众的街区警察制度，不管它叫什么名字。当然，必须考虑到新的社会情况，比如说某些街区的暴力和轻度违法行为远比20年前严重，警察和司法之间的配合需要更高效。

新的街区警察制度的建立需要时间，为了维持它，我们还需要提供人力和资金支持，让它同法国民众建立信任关系。这绝不是软弱的表现，而是一种明智的做法。因为它所聘来的警察和宪兵，会是更了解街区具体情况的国家公务员，他们有充足的时间收集有效消息，并在必要时及时锁定危险分子，避免极端行为的发生。

大家知道，进行这些改革需要快速整改，同时追加人力和物力。目前，我们已经增设9000个警务人员岗位，并且开始向社会招募，但除此之外，我们还需要在今后三年内招聘一万名人员，担任警察和宪兵。

然而，这些措施并不能完全解决维里沙蒂永[1]恐怖袭击后，警察在自发抗议游行时所指出的问题。

预算不足导致防暴装备欠缺，再加上警队编制跟不上，许多警察对工作环境都表示不满。实地执行任务的警员会发现，某些街区已被上级市政所遗忘，而这种情况不应再持续下去。

在这里，我们也能看到司法领域因为人力、物力投入不足，而带来的直接后果。由于司法方面和监狱管理系统的条件欠佳，尤其是在最困难地区，刑法体系达不到应有水平，于是削弱了当地武装治安力量的可信度。人们一旦确认检察院并不强制执行某些低于两年的有期徒刑（某些地区已然发生这样的状况），整个刑法体系的可信度都会大打折扣。

1　维里沙蒂永，巴黎南部的一个市镇。

于是，尽管包括司法单位在内的治安武装力量能处理某些重点案件，但他们现在还无法同各个层面的轻度违法现象做斗争。

对于这种情况，官方回答往往是继续采取不妥协的态度。但这显然是幻想。我们不断地向治安武装力量、司法单位和监狱管理部门提出更多要求，而事实上，他们已经是公务员中工作条件最艰苦的了。我们必须加强人力和物力投入，并不遗余力地完成司法的首要任务：同轻度违法和犯罪现象做斗争，清除那些违法乱纪行为。在此同时，我们也必须对刑罚的目的展开成熟、透明的思考。通过刑事惩罚，这个社会最终会得到什么呢？在一段或长或短的时间里，将一个违反法律的人排除于社会群体之外，从社会角度来说并不一定是最有效的措施。比方说盗窃罪，在没有其他任何严重后果的情况下，我国目前的处罚方式是三年有期徒刑，是否可以考虑采用某种强制性的、更有利于受害者的弥补措施？或者在被盗物品价值低于某个数额时，考虑采用罚款的方式？同样，针对服用和拥有超过一定数量的大麻、某些违反交通规则的情况（比如未对汽车投保），是否一定要由轻罪法庭来处理呢？或许违章罚款制度就足以惩罚这类行为。

有些人可能会因为这些措施而给我冠上"纵容"的罪名，但我拒绝这一说法。请大家相信，我对不守交规的司机和瘾君子都没有任何怜悯。我想表达的是，我们必须听取警务人员和司法人员的意见，他们明确地知道，给吸毒人员每次都处以刑事处罚是多么的无效，而一笔高额的、要求立即支付的罚金对于警察和司法部门来说是多么节省时间，并且远比那种靠不住的且最终并不会执行的有期徒刑更有威慑力。

与此相对，我认为所有刑罚一经宣判必须不折不扣地即刻执行。今天，当一个法官判处一名轻罪者两年或低于两年的有期徒刑时，这位法官知道该处罚决定将交由另一位法官审核，再由他决定是否用其他处罚来代替。这样一个让受害者、民众以及轻罪犯本人都无法理解的制度，意义何在？一项刑罚宣判后，必须立刻将犯人扣押起来。我们要重新赋予刑事判决以意义，因为它牵涉到司法的话语权，也就是它的权威性。另外，我们还要重新考虑青少年犯罪预防的概念，它似乎已经被人们遗忘，但它的意义却非常重大。加强成年人对年轻人的陪伴（学校或社团中），既能从根源上避免犯罪的发生，在青少年犯罪发生后，也可以避免年轻人陷入轻罪—监狱—重新犯罪的恶性循环。

为确保国家司法和治安部门的正常运作，我们必须承诺投入足够的人力和物力。每一项承诺，一旦做出就必须遵守，并且要长期遵守。十年来，因为不断受到突发事件的影响，国家在司法治安部门的投入变化无常。所以我们必须优先处理这个问题，并通过以五年为期限的法律框架，明确政府在五年内必须信守的承诺。

最后，为了做到更高效地反恐维稳，整个社会都应该肩负起维护国家安全的责任，每个人都要贡献自己的一分力量。但这绝不意味着让大家互相猜忌，我只是想借此明确一点：维护国家安全，人人有责。我们都有权利参与到分辨威胁的工作中，从接待年轻人的协会、陪伴孩子出行的老师、组织研讨会的企业负责人，等等。同时，我们必须对潜在危险保持警惕，相关培训也不可或缺，比如急救措施、遇到袭击后如何反应以及怎样以最快速度报警。

在这样的大背景下，现行预备役制度扮演着至关重要的角色。我并不是建议重新设立全民义务兵役制，这种方式不适用于年轻人，并且对一支职业军队而言也难以实现。但是，我们可以做的是在预备役制度下，以志愿者的形式培养三到五万名年轻男女，让他们为这场必不可少的变革贡献自己的力量。

CHAPITRE

14

第十四章
掌握我们的命运

我们已经身处全球化的浪潮中，别无选择。

一方面，数以百万计的法国人在国外居住、旅行，我们的领土遍及全球，在世界各地都能听到法语。

与此同时，世界也在我们的身边。每年，我们要接待数千万游客，如今已经有两万多家外国公司进驻法国，还有两百万法国人在其中工作！尤其值得一提的是，数以百万计的法国同胞在全球化的生产线上工作着。我们在图卢兹生产空中客车，在马里尼昂制造直升机，在贝尔福装配涡轮机，或在加莱加工海底电缆，我们是在为国外的客户服务。所以，我们的生存同全球化息息相关。

法国也面临全球性的重大挑战：恐怖主义、移民问题等。我们共享一个地球，所以必须共同采取行动，保护生物多样性，应对气候异常变化。这些正在发生的全球事件将直接影响到我们自己和后代，如果不采取对应措施，势必导致疫情爆发和区域冲突，从而渐渐摧毁地球——我们最重要的共同财产。

因此，我们不能再对世界事务漠不关心，因为我们自己就生活在这个世界上。并且，只有参与国际事务，我们才能把握命运、互相依存。

法国从来就不是一个只顾自己、不念他人的民族。在别人看来，这种济世情怀有时令人难以接受。但这个状况也解释了为什么一旦我们对某件事情没有表态时，邻国或合作伙伴就会发问："法国在做什么？法国的声音在哪里？"法兰西之梦从来就是普世之梦。我们总是胸怀世界，也做到了并非每个国家都能做到的事情，比如为受迫害的东方基督教徒奔走，为班加西[1]幸存者呼吁人道主义援助，对阿勒颇[2]人道惨案或对破坏廷巴克图[3]文化遗产的暴行愤怒谴责。

长期以来，我们深信法兰西肩负着引领世界的神圣使命：为世界指明前进方向，传播普世人文精神，呼吁所有人接受和认同我们的理念、社会模式和价值观。全球化的部分内容也许同法国理念不尽一致，有时甚至不能体现我们的价值观，我们因而对它产生疑惑，想把它拒之门外，但我们又在接受和放弃之间徘徊，并因此而备受煎熬。我完全能够理解这类恐惧和疑惑，我也会听到愤怒的呐喊和抗议。但是我相信，如果我们忘记了自己在这个世界上的使命，法兰西就不再是法兰西。

1　班加西，利比亚城市，2012年班加西发生恐怖袭击事件。

2　阿勒颇，叙利亚最大城市，内战中遭受严重破坏。

3　廷巴克图，马里古城，现被伊斯兰极端分子控制。

首先，法国拥有辉煌的历史。我们曾是强盛的殖民大国，领土遍布世界各地，全球有2.75亿人在使用法语，非洲和中东与我国都保持着非同寻常的关系。

在海事、外交和军事上，我们是举足轻重的世界大国。作为联合国安理会五个常任理事国之一，我们成为英国脱欧后唯一代表欧洲的常任理事国。我们拥有核武器，具备向地球上任何地区派遣部队的能力。这一切意味着我们有能力扮演世界大国的角色，同时也要求我们承担更大的责任。出于这个原因，我赞成法国在联合国权责框架内进行干预的策略。这种做法更有效，更符合我们的多边主义历史观，也只有这样，才能确保维持任何临时盟约都无法做到的地区均衡。

我们肩负着为人楷模的重任。如果说我们曾经拥有这份风范，那是因为我们因奉行不侵犯、独立自主的外交原则而受到尊敬，也因此在全世界享有看得见的极高声望。当乔治·布什和托尼·布莱尔展开攻打伊拉克的冒险行动时，我们拒绝加入。然而，法国如今的形象却不尽如人意，我们的很多行为有争议性，也造成了误解，并直接有损国家形象。一部分马里年轻人对我们驻扎在当地持不信任态度，我们对利比亚和萨赫勒地区的武装干涉也遭到抵制。

我希望大家能够达成共识：要讲究实际。在考虑一项国际行动时，我们不能脱离国内现状。令我深感震惊的是，具体情况已经发生改变，但我们在国际场合的公开言论竟然还是那个调子。有谁相信我们依然拥有在世界事务发表观点的经济和军事实力呢？我们真的还能继续对其他国家指手画脚、批评教训甚至严厉谴责，好像我们自己已经做到经济无忧、无往不胜、领导人德高望重、声誉无懈可击吗？这种做法必将带来危险和错误，甚至让我们沦为笑柄。要做到行之有效，我们首先需要一个清醒的头脑。

还有相当一部分人走向另一个极端，认为法兰西并不需要自己独立、有用的立场，因为他们认为法国的地位已经大不如前，失去了自我振兴的能力，或许只能退出欧盟或北大西洋公约组织。这种观点也是错误的。我们应该继续在全世界范围彰显法兰西民族对自由、人道、公正和荣誉的独特理解。但我们必须脚踏实地，也就是说，我们不能自己不遵守严格、有效的道德原则，却又拿这些原则在其他地方指手画脚。在我看来，我们不但不应该淡化自己的立场，还要进一步使它同欧盟步调一致，尤其要与德国进行必要的战略对话。我们也必须严于律己，与别人相处时应该更加无私。长久以来，法国往往不擅长考虑友国的实际情况，只顾着做军火交易或吸引游客，以实现自我满足。我们曾支持过一些完全违背法兰西价值观的独裁、无效的政权，而这一现象还在继续。

我们应该保持独立自主，与各方面开展建设性对话。这也是外交的本质——与持有不同意见者进行沟通。但是，这种对话不应当以牺牲价值观为代价，也不应当流于投机取巧或者讨好谄谀。现实主义诚然不可或缺，坚持原则也必不可少，保持谦逊对我们来说没有坏处。

同样，对过去20年的军事行动做出客观分析也有利无弊，而法国国会往往只在迫于公愤压力或民情骚动时才着手开展这类工作。但是我相信，对所有军事行动的主导思想和实施过程做出完整评估和审核，这一行动将大有裨益。

让我们回到当前的问题。为了掌握命运，我把国家的外部安全视为首要问题。我们要竭尽全力对抗极端组织以及相关危险因素，恐怖主义、激进的伊斯兰政教组织和势力已经在我们的家门口，在东边和南边日渐发展壮大。在马格里布和地中海地区，面对区域性危机，我们应采取正确的外交策略和军事行动，致力于保障它们的安全。

我们当前最急迫的任务，是赢得在摩苏尔和拉卡当地抗击"伊斯兰国"的斗争，阻止曾在阿勒颇发生的平民大屠杀事件重演，恢复该地区，尤其是黎巴嫩的和平。这个与法国有着深情厚谊的国家现在正饱受战争摧残，人民流离失所甚至沦为难民。我们在当地的介入是完全有必要且合法的，当然，法国在当地的军事行动同样必须遵从联合国的明确委任。

在这些国家，如果我们无法建立一个政治解决方案，哪怕只是过渡性的政治方案，军事行动就不会有成效。过去15年间，我们已经在伊拉克或利比亚付出类似的代价。在当地不存在任何政治解决的可能性，我对这类军事介入的必要性持非常保留的态度。对于目前的和未来可能发生的所有危机，法国及其欧洲伙伴都应该保持警惕。

在叙利亚动乱中，法国曾经肩负外交和军事重任。然而由于多种原因，尤其是受俄罗斯和美国影响，我们被逐渐孤立。甚至土耳其、伊朗及若干海湾国家，现在都只顾自身利益。如今，只有取得相关各方的平衡，才能重建当地和平。在这方面，德国的立场应对我们有所启发，采取更加明确的联合行动也许会效果更好。

关于利比亚问题，我不想掩饰自己的担忧。在萨赫勒地区，所有向基地组织示好的群体都从这个国家获得补给。极端组织"达伊沙"在其他阵线上已经退缩，并打算把这里作为后方根据地。涌向欧洲的难民、移民大部分也正是从这里踏上通往欧洲之路。如果利比亚被恐怖分子控制，后果将是灾难性的。首先，当地居民会遭难。其次，欧洲大陆将承受更大的移民压力。这种局面还将使极端组织有能力获得资金储备，尤其是从利比亚东部地带获得石油储备，最后必然威胁到周边国家，尤其是突尼斯。"阿拉伯之春"后，这个国家仍在发挥着民主灯塔的重大作用，但是这里的民主相当脆弱。正是出于这一原因，作为"前进党"党魁，我选定突尼斯作为我首次访问的国家。在这里采取的行动应该成为欧洲及其地区盟友的共同外交行动，我们也应该发挥阿尔及利亚和埃及的作用，在这方面我们有着短期和中期的共同利益。

综上所述，我们应该重新将阿拉伯和地中海地区作为外交事务的重点。按照独立决策的传统，我们应该维系严苛的关系并继续与该地区各方共同行动。法国与沙特阿拉伯和卡特尔不仅要保持经济交往，还要建立政治联系，就所有议题进行沟通，包括这些国家及其国民对造成地区动乱的某些组织的支持等。对于伊朗，我们要帮助它实行经济开放，重新回到国际舞台，但前提是它必须严格遵守2015年由联合国安理会通过的《伊朗核问题协议》。一旦伊朗拥有核武器，那么"不扩散核武器条约"就将形同虚设，这一地区的其他国家，如土耳其、埃及、沙特阿拉伯等，都会步其后尘。因此，我们必须让伊朗意识到，即使不行黩武之道，它也能成为一个强大的国家，步骤则是首先致力发展经济，发挥其巨大影响力，维护地区和平。

以色列仍然是我们的经济外交盟友，是一个民主国家，我们有责任去保护它。但是，我们同时也知道，只有承认巴勒斯坦国才能确保该地区的持久和平。殖民政策是错误的，我们需要重新审视《奥斯陆协议》的要旨。关于圣殿山[1]归属问题，联合国教科文组织曾决议把这块圣地划归穆斯林，否认耶路撒冷与犹太教的历史渊源，对此法国抱有很大疑虑。起初我们赞成这一提议，随后投了弃权票。法国捍卫所有宗教都应受到尊重的权利，呼吁各宗教派别和平共处。而今天在耶路撒冷，现实恰恰与此相反。我们应该从更高层面跳出圣殿山历史归属的争论，因为这场争论中各方的互不妥协只会让我们寸步难行。

面对这些地区大国，尤其是土耳其，法兰西只有重点打欧洲牌才能有所成效。为了避免土耳其政府继续打压政治自由、滑向独裁专制的歧途，我们手中唯一有点作用的筹码就是用欧洲模式吸引它。鉴于

---

1 圣殿山，位于耶路撒冷老城，是犹太教、伊斯兰教和基督教的圣地。圣殿山是以色列方面的称呼，伊斯兰教信徒称其为圣地。

土耳其的区域稳定作用不容小觑，我们不应该在安全、疆域或经济等重大问题上，将土耳其置于欧洲的控制之外。当然，我们也不能太天真，因为土耳其总统不会轻易就范。

当然，马格里布地区也不容忽视，因为在历史上我们就与摩洛哥、阿尔及利亚和突尼斯这三个国家有着割舍不断的联系。别忘了，如今数百万法兰西同胞就来自这些国家，并同它们保持着亲密的关系。鉴于这段共同的历史，我们必须携手建设共同的未来。而事实上，在安全、经济或生态领域，我们都面临着共同的挑战。所以，与此相关的很多问题都应该放在欧洲—地中海的对话框架内进行讨论。

如果我们声称制定一个共同的地中海政策，那可能有点言过其实。但是，无视我们不可分割的共同命运，也是错误的。

所有这些国家都面临着多重动乱的威胁，一旦危机爆发，我们将立即遭受严重的直接后果。

同样，在非洲大陆，法国也应该继续发挥作用，可以参考过去这些年我们在科特迪瓦、中非或马里的作为。在我看来，我国在联合国框架下对科特迪瓦进行武装干涉就是个成功的案例。令人遗憾的是，在中非局势尚未稳定时，我们就撤离了。我认为，在不远的未来，我们极有可能再回到那里。

如今，我们对马里进行的军事干涉极为必要，它让这个国家避免陷入圣战分子之手。因此，我要向在险恶环境中坚持战斗的法国士兵表示敬意！

显然，通过与非洲军队及区域组织合作，我们在那些局势脆弱的地区承担着维持稳定的责任。这也正是欧盟卓有成效地协调军事培训活动的原因。在这个地区，我们应该帮助那些选择开放和民主模式的国家。大家知道非洲在经济方面具有巨大的潜在活力，法国应当同非洲加强这方面合作。

鉴于目前法国参与的军事活动数量过多、风险较高，我们必须保持强大的外交影响力、活跃的地方关系网和高性能、现代化的军队。即使决定解除哨兵行动，军队的规模在未来几年内也不能下调。我们要继续加强军力，保持威慑力，不管需要付出多大代价。因为，这是我们实现自我保护的方式。

法国的国际安全在很大程度上同美、俄的战略选择有关。确实，俄罗斯在近东和中东地区扮演越来越重要的角色。第二次世界大战以来，美国也把这一地区作为首选干预地区，我们也因此多次受益。

俄罗斯也是欧洲国家，我们期望与它建立怎样的关系呢？我们愿意回到20世纪70年代那种完全对峙的冷战局面吗？我们真的希望与这个大国保持一种模糊而冲突性的，并且目前明显呈对抗状态的关系吗？

我认为，我们必须重新构建与俄罗斯的关系。我们既不能盲目地追随美国路线，不管它在特朗普胜选后会如何变化（在过去的几个月里，欧盟已深受这种变化之苦），也不能像法国部分右派所偏好的那样，附和一个备受批评的政权。

我将竭诚重新开启深入而坦诚的对话。我们无法在短期内解决克里米亚争端，但我们应该促使俄国与乌克兰的关系趋于稳定，使各方逐渐解除制裁，并在重建近东和中东地区的和平方面达成协议。未来数月内，欧洲应该对俄罗斯尤其保持警惕，防止它发生变局。因为，特朗普当选后，俄罗斯可能会认为美国对欧洲的关注程度在减低。

我们与俄罗斯处在同一片大陆，有着互相关联的历史，文学方面也有许多相通之处。屠格涅夫曾在法国生活，普希金爱慕法兰西，契诃夫和托尔斯泰对我们影响深远。俄罗斯和法国曾并肩作战，共同抗击人类历史上最惨痛的两次战争。与此同时，我们也必须充分认识到，俄罗斯与我们的追求和愿景不尽相同。但是，如果我们割断与这个东欧大国的联络纽带，而不是与之建立长期的联系，那就会铸下大错。在打击恐怖主义及能源战略方面，我们有必要建立务实的伙伴关系。

如何处理与美国的关系，这个问题已经彰显出前所未有的重要性。捍卫人权的基本观点与维护世界稳定的共同愿望将我们维系在一起。但是，自从2016年11月特朗普当选美国总统后，很多事情变得扑朔迷离，没有人能预测这场选举对未来的影响。当然，我们也必须承认，在奥巴马时代，美欧双方都对彼此的紧张关系心照不宣，在叙利亚问题上，这种紧张关系则完全公开化了。

在奥巴马总统任期内，美国认为亚洲的重要性甚于欧洲 。这是一个重要的战略调整，我们现在才刚刚开始感受到它的后果。同样，美国也正在从中东和危机地区抽身而出，而这里曾是他们半个世纪以来苦心经营的主要地区之一。奥巴马在中东地区的"思路"很简单：让当地和有关区域当事者自我管理，美国既不采取新的行动，也不在维和事务中承担主要角色。自从决定从阿富汗和伊拉克撤军后，只要不对美国的利益有明确、直接的威胁，美国就不再干预。

当然，法美之间的合作仍在继续，并将保持下去。在许多行动领域，美国向法国提供情报设施和军事援助手段。美国清楚地认识到萨赫勒地区的危险性，双方在这个地区的合作（比如在情报领域）至关重要。

无论如何，双方都需要明确美欧之间的跨大西洋关系，并对其进行重估、更新和再投资。在这一点上，窃听行为是令人难以容忍的。尽管被授权进行窃听的部门认为这是情报系统司空见惯的做法，我依然觉得窃听盟友国家的元首是尤其令人震惊的举措。

所以，这一方面关系到法兰西以及范围更广的欧盟，另一方面则涉及的是美国的双边关系。作为西方世界的基础，并在二战后倡导人权及和平的大西洋轴心对地球的未来至关重要吗？对此我深信不疑。但我们也需要重新平衡双方之间的关系，因为它直接决定了我们能否真正地保护我国民众。就在我撰写此书时，由于特朗普的当选，美国的政治生活正步入新轨道，没有人知道他在这方面会有什么举措。但我认为，如同他的前任总统们，他所做出的与此相关的一切决定，也将受制于现实。因此，我们必须主动让自己的理念得到承认，同时主动认清这个世界的变化。

今天，在外交和军事方面，我们比过去任何时候都更急需为欧洲制订一个为期十年的战略计划。依靠自己的力量进行防卫，这已经成为西欧国家必须实践的趋势。因此，作为欧洲头号军事强国，法国必须与其欧洲伙伴互相配合，其中不仅包括德国，还应该有英国。我们曾与英国建立过紧密的联系，它现在仍然是我们的战略伙伴。面对周边区域的安全威胁，同时考虑到俄罗斯和美国的新立场和不确定性，我们需要实施更加独立的集体安全防务计划。

为了掌握自己的命运，我们第二个行动的轴心应该是整合法国在世界各地具有独特风格的贸易、经济和文化活动。实际上，这是法国和欧洲能够发挥世界影响力的关键，并将使我们的艺术家、学校、企业和理念能够在全世界大放光彩，同时可以避免时而发生的损害我们国家的事件。

为了实现这个目标，我们拥有一张绝对王牌和出色而得力的外交网络。在此，我必须提出一个我自己始终坚信不疑的想法，尽管它与我国多年来的选择恰恰相反：维持我们的奖学金制度、文化中心和教育机构，一定比维持外交官职位更重要。当然，外交网络的重要性不言而喻，但我们可以通过借力欧洲达到这一目的，而提升法国文化影响力，我们只能靠自己。与外国的交往中，法国文化才是法国影响力的体现。

上次去突尼斯，与当地政治和文化领导人的交流让我非常吃惊。

他们的模式完全是法国式的，法语也讲得十分地道，而他们深刻的回忆竟是忙里偷闲与法国艺术家、作家和导演共同度过的时光。

过去15年间，因为政策变化，我们在国际上推广法语和法国艺术的力度有所削弱，这一现象所造成的损失，我的心里有一本明账。事实上，当我们在传播法兰西文化、支持和推广法语及语言多样性、向国际学生发放奖学金、让世界各地的人们因初识法国而激起交流、好奇、互惠的欲望时，我们既是在效力法兰西，也是在效力全世界。因为对法国民众及世界伙伴来说，这种互惠互利的关系是抵御愚昧甚至野蛮的屏障，同时也是我们与其他民族沟通的渠道。

就这一点而言，我认为非洲是一片充满希望的大陆，我们必须在当地重新规划发展蓝图，并坚定执行。

法国对非洲的影响力不应当仅限于军事和政治层面，我们从现在起应该比以前更积极，鼓励企业家和中产阶级到非洲大陆开拓新的发展。这是持续推进非洲民主化进程、稳定局势的最佳方式。在这方面，2013年由于贝尔·韦德里纳、利昂内尔·津苏、哈基姆·艾尔—卡洛伊、让-米歇尔·塞韦里诺和蒂贾内·蒂亚姆等五人共同撰写的调研报告仍然很有价值，他们的提议正是我希望在非洲大陆进行的战略行动的核心部分。长期以来，我们在非洲的经济活动一直与当地政府有着紧密的联系，目前主要活跃在原材料和基础建设领域。有时候，暗箱操作也是存在的，但这种运作方式既对减少贪污受贿毫无帮助，也不利于让更多的非洲民众从中受益。

今天，在非洲出现了一个全新的创业精英阶层，他们正引领中产阶级及全体非洲人民走向崛起。通过与这一代新人的交往，我们要在未来十年与非洲建立更加紧密、均衡和平等的关系。

我们同其他国家在文化交流、商业贸易和特色产业等方面，都有着特别的合作历史，比如，从巴西、哥伦比亚、智利到阿根廷，从日本、中国、印度到韩国，我们都能看到这样的联系。目前，印度正经历一场巨大变化，极力加强与法国、澳大利亚在多方面的联系，并于近期与我国签订了一系列重要合同。我们在国际上拥有很多好朋友，在此我就不一一列举了。

不过，我必须提一下对我们有着特殊意义的中国。这是一个强大的国家，并即将成为全球最大的经济体。很多法国人仍不了解中国，把它视为制造低档产品的世界工厂，并且把法国工厂外迁归咎于中国，认为它是法国工业衰退的罪魁祸首。但事实上，中国早已今非昔比，我们必须改变对中国的看法。如果我们能够放弃成见，调整做法，中国对我们来说不但不是威胁，反而是机会。

借助法国企业，我们可以与中国在城市发展、能源需求、污染治理等领域展开合作。更何况，法国和中国已经有许多历史深远的合作关系，比如核能领域。并且，法国是第一个承认中华人民共和国的西方国家，这一点中国领导人也从未忘记。

想要在这场全球化的剧烈变革中取胜，我们同样需要欧洲。30年来，世界发生了深刻的变化。从某种意义上说，法国已经衰退，因为新兴的经济和商业大国正在崛起。捍卫我们的利益和价值观的最好办法，就是制定有效的欧洲政策，尤其是制定共同的欧洲商贸政策。因为，我们只有在欧洲层面上，才能与中国或美国进行可信而有效的谈判。在未来的几年里，法、美两国正在进行的自由贸易条约谈判不太可能取得进展。相反，如果我们主动进行商贸战略部署，并与亚太地区协商，而非任由美国仲裁，我们就会有所作为。另外，欧盟作为一个制定规则的机构，我们应该利用这一属性，在数字化方面提出一些新主张，比如提高商业数据的价值、保护个人隐私等。

第三个行动的轴心，是要让全球化进程变得更文明。我们要思考新人道主义。对于很多人来说，全球化是机遇的代名词。但同时，由于各国配合协调不足，无法掌控金融资本业的极端行为，这很容易就导致全球化误入歧途。第二次世界大战结束后，为了协调国际金融和货币市场，人们建立起布雷顿森林体系，但它最终对此类情况却选择了妥协。二十国集团——这个汇聚全球20个最主要经济体的国际经济合作论坛——在2008年金融危机后获得重生，但也未能真正阻止金融资本的根本弊端。

事实上，今天的全球资本主义在发达国家造成了前所未有的不平等，西方国家的中产阶级是1980年以来历史进程中最大的牺牲品。最初，新兴经济体催生了精英和中产阶级，他们在经济的飞速增长中受益。但是最近这25年，仅占人口1%的那部分最富有者源源不断地积累了更多财富。

如今，国际资本主义已经变得肆无忌惮，起限制作用的机构和制度也对它无能为力。无论是面对金融危机，还是面对气候变化和生物多样性骤减，法国都将为此而战斗，预测、预防这类情况的出现，并参与国际规则的修改，最终实现当代资本主义的人性化。

我不知道法国是否能做到，也不清楚资本主义是否因为贪婪无度已经步入垂死阶段。然而我确信，法国应该在全球化浪潮中强调人的价值，这是一项至关重要的事业，我们必须担负起自己的责任。法国的一切，包括它的历史、理念和能力，都决定了我们责无旁贷。除了环境保护的方面斗争，法国还必须坚定地参与国际监管领域的斗争——阻止一切不透明的融资、继续规范世界各地金融主管的薪酬、倡导社会和环境责任原则，等等。如果我们希望这项事业取得成效，就必须把它放在全球参与的框架下进行，独自作战的想法无异于痴人说梦。二十国集团是个很好的机制，但法国也应该同欧盟一起就此提出一个清晰的、意愿强烈的计划进程表。

同样，在欧洲和全球范围内打击偷税、漏税也非常有必要。近年来，欧盟及其他经济组织在强调缴税透明度方面取得了长足进步。然而，由于数字技术的发展，证券转账变得更方便，也变相鼓励了偷税、漏税行为。为此，我们必须采取有力、明确的应对措施。首先，要敦促所有欧元区国家在纳税方面采取一致的政策，这将需要10到15年的时间，并且要求有关国家政策上互相接近和靠拢。其次，要就每个欧盟国家和避税天堂之间的税收协议进行重新谈判。最后，所有贸易协定都必须附有配合打击逃税、漏税政策的协议，这是一条强制性规定。只有防止再分配时所需的可征税财富在资金流动过程中蒸发，贸易开放才具有政治上的可操作性。

到2017年底，好几个西方大国都要更换领导人。在2020年之前，我们必须为制定全球化的新规定做好准备。这场战斗不是为了阻止什么，也不是为了保留什么，而是为了同有严重后果的极端做法做斗争，为了保护我们共同的未来。

我们每个人都正在经历的时代，可能是一个世界格局大调整的时代。有些人认为西方主导的时代正走向终结，希望出现另一种实力对比的局面。对此，我们的回应始终如一：竭尽所能推动全球化的文明发展，坚定不移地建设一个强大的欧洲，后者将直接关系到法国的命运。

CHAPITRE

15

第十五章
重建欧洲

为了重新掌握法国的命运，我们需要欧洲。

多年以来，我国政治领袖一直声称欧盟是个麻烦，是万恶之源。

是否有必要在此提醒这些人：欧盟即我们，我们即欧盟呢？地理和历史因素将我们摆在了欧盟中心的位置，是我们成立了欧盟，选择了欧盟，也是我们指定欧盟委员会的代表。也就是说，我们选出的共和国总统，也是代表法国出席欧洲理事会的人。

环顾世界，有两件事情我十分笃定。第一，将欧洲维系在一起的力量远远胜过那些试图拆散它的力量。第二，如果看不清这一点，我们将很难与中国或美国抗衡。

那么，我们究竟是谁的继承者呢？

从政治建设的历史上来看，欧盟还很年轻，才65岁。然而，它已经开始精疲力竭。不过几十年的光景，欧盟之父所制订的共同体计划早已迷失在烦冗的行政事务和条约中。欧盟失去了对未来的憧憬，也因而失去了其原本的意义。

欧盟计划基于三大宗旨：促进和平、追求经济发展、尊重自由。

这是一个饱含法兰西精神的计划。

首先，欧盟的诞生源自我们对和平的追求，而欧盟的存在又进一步巩固了和平。过去几十年里，欧盟让无数欧洲人的和平梦成为现实，许多人开始相信，总有一天，冲突会从这片土地上彻底消失，进而淡忘了这里曾经切切实实发生过的事。事实上，欧洲大陆一直在做一个通过武力统一各国的帝国梦：从凯撒大帝、查理曼大帝、拿破仑直至罪孽深重的希特勒。我们要时刻铭记欧洲大陆好战的性格，如果我们不能建设一个自由的欧洲，未来它必将重蹈覆辙。欧盟的诞生让欧洲有史以来第一次在和平、民主的气氛中实现了统一。在经历了两次灾难深重的世界大战，并承受其带来的巨大心灵创伤（大屠杀、社会动荡等）后，我们以一种前所未有的、非霸权的方式，让接壤的民族再次和平共处。

其次，实现欧洲经济共荣是欧盟的另一个基本宗旨。在复苏经济的共同目标下，饱受战争摧残的欧洲成立了共同体计划，即便有过预算危机，欧盟仍然成功建立了一个世界范围内绝无仅有的新型经济和社会模式。

最后，一个自由的欧洲意味着人员和资产自由流通的欧洲。申根签证条约、伊拉斯谟学生交流计划[1]、欧元单一货币制度、消除自由

1　伊拉斯谟学生交流计划由欧共体在1987年正式确立，目标是让10%的欧洲学生有机会到其他欧盟成员国进行一段时间的学习。

流通障碍（如消除银行和电话通信的跨国手续费）等一系列措施，这些都是鼓励流通的具体体现。

但是今天，这三大宗旨都遭到了背叛。

欧洲民众的和平之梦已经支离破碎。叙利亚、利比亚和乌克兰危机的出现，欧盟史上前所未有的移民潮，尤其是频频发生的恐怖袭击事件，所有这些都在警告我们——历史正在重演，战争和冲突并未远离。

经济共荣梦也同样遭到了背叛。欧洲经济已经长期处于疲软状态，从我刚开始有世界意识起，人们就一直在讲经济危机。今天在欧元区，每五个年轻人中就有一个失业者。在此情形下，年轻一代怎么可能对欧盟的共同计划有认同感？欧盟虽然成功渡过了欧元危机，但我们必须承认，财政紧缩不足以带领我们走向共荣，减少财政赤字也不应是我们的政治理想。

最后，自由梦也已经奄奄一息。自由流通原则，尤其是人员自由流动模式受到了质疑。其原因多种多样：移民潮导致的经济和社会融入问题，恐怖主义威胁导致的安全问题等。更危险的是，长期居高不下的失业率和日益扩大的贫富差距，让人们拒绝开放、趋于封闭。

然而，这三个宗旨绝不应收到质疑，因为这是我们宏伟计划的基础。可是如果我们故步自封，这个计划将永无实现之日。

那么，欧盟究竟经历了什么？

今天的欧盟之所以萎靡不振，我们所有人都有责任。我们的思维枯竭，工作方法了无新意，制度形同虚设。欧盟成员国首脑峰会和部长理事会的运作已变得近乎可笑——大家闭门造车，反复强调所谓的原则，然后换汤不换药地在上届宣言上改一两个字，再接着用。这是个脱离大众和现实的体制。最近几个月，我见到一些布列塔尼地区的农业工作者，猜猜看他们告诉我什么？他们没有抱怨欧盟，也没有抱怨政府十分看重的共同农业政策。他们表达的是对没完没了的条款规定、吹毛求疵的官僚风气、不接地气、无视农民真正需求的政府干预的不满。

欧盟的缔造者们以为政治会追随经济的步伐，欧洲联邦国会在单一市场和单一货币体制下应运而生。然而半个世纪后，现实无情地击碎了幻想。我们非但没有如愿实现欧洲政治一体化，反而由于集体失误，使这一梦想离我们越来越远。

首先，是我们自己背弃了这一梦想。多年来，成员国首脑处心积虑地将一些无能之辈推上欧盟高位。

他们设立了一个由28名专员组成的欧盟委员会，但如今，它的效率极低。很显然，想让它重现雅克·德洛尔时期的共治状态及决策能力，就必须重审其组织结构。

欧盟逐渐在复杂的组织结构中迷失了方向，欧洲一体化本来是目标，但我们却将它与实现过程中所采取的货币、司法和公共措施混为一谈。于是，我们陷入一个令人崩溃的境地：一方面，人们习惯性地将所有问题归咎于欧盟；另一方面，如果一味质疑欧盟委员会的作用及其密密麻麻的行政指令，又显得自己不是个合格的欧洲人。

法兰西民众与欧盟的决裂发生在2005年。那一年，全民公决的结果让我们意识到，当时的欧盟也许早已不再是我们梦想中的欧盟。因为它变得过于推崇自由竞争，从而背离了我们的价值观。实际上，它甚至成为我们的威胁——法国在农业等传统领域的优势受到威胁，新的移民政策也给法国带来巨大挑战。

2005年公决之后，这种负面情绪变得越发强烈。面对欧盟宪法遭否决所带来的受挫感，欧盟决策者们既没有反驳，也没有应对措施。在希腊债务危机时期，欧盟也暴露出这种不负责任的态度。针对希腊脱欧可能造成的严重后果，欧洲的政界精英们并未进行必要的讨论。

责任感的缺失导致了欧盟的经济萎靡不振。事实上，就连我们这些法国人都经常认为，若要捍卫本国国家利益，就要摆脱欧盟规则的束缚，尽管我们也是这些规则的制定者。其次，我们缺乏对欧盟政策的监督审核。也正是因为没有适当的监督机构，欧洲未能就一些财政政策展开实质性讨论，以至于欧元区成员国中的希腊、意大利、西班牙、葡萄牙甚至我国，都维持着一种入不敷出的状态，直至危机爆发。针对欧盟决策者做的决定、行政管理方式、层出不穷的规章制度、辅助性原则等，我们都应该严格地审核。然而目前，欧盟的机构和部门都不具备进行这类审核能力。

再者，这些机构和部门也无法胜任捍卫欧盟价值观的工作，这些价值观远比经济更重要，是整个欧盟的奠基石。人道主义是欧盟最不容轻视的价值所在，我们绝不能姑息任何背弃欧盟价值观的行为。这些年我一直支持希腊政府为留在欧元区所付出的努力，但我无法容忍的是，欧盟委员会的代表们对希腊政府近年来公然无视欧盟原则（特别是难民保护原则）的行为放之任之。最近，匈牙利政府做出的一些决定也违背了欧盟的基本原则，但围绕这一问题展开的讨论却不及欧盟峰会的十分之一。相反，当纳税人的钱或欧洲银行的财务状况受到威胁时，这些人却一拥而上。

最后，欧盟的衰退也因为它缺乏远见、作茧自缚。否则的话，2016年2月，欧盟怎么会屈服于英国脱欧的要挟，同意其为了留在欧盟而开出的荒谬条件？

综上所述，我认为过去十年是欧盟建设白白荒废的十年。

英国脱欧更加证明了这一事实，突显了欧盟力不从心的实际状况。但即便这样，我们还是要心存期待，因为重建欧盟势在必行，这也是我们作为改革者的责任。

英国脱欧不能被单纯看作是一种自私行为。永远不要责怪说某某投错了票，这样做毫无意义。当然，正如贝尔托·布莱希特[1]指出的那样："解散人民"比直面问题更容易。但我更支持后一个选项。

英国脱欧事件反映了民众寻求新依托的愿望，也反映了他们对英

1　贝尔托·布莱希特（1898—1956），德国戏剧家、诗人。他在其讽刺诗《解决办法》中写道："政府解散人民，选举另外一个，不是更容易吗？"

国领导人及其维护的社会模式的否定。一个社会主张开放，却未能预料到过度开放必然在工业、经济和社会等方面造成严重后果。同时，它也反映了英国政府的软弱无能，它把欧盟当作替罪羊，却闭口不谈脱欧后的灾难性后果。最后，这一事件也降低了政治谈判的公信度。在这场谈判中，一边是盛气凌人的欧盟专家，一边是谎话连篇的英国政客，但双方都以失败告终。

由此看来，英国脱欧不只是英国的危机，更是欧盟的危机。这是向所有成员国，向所有拒绝正视全球化负面影响的人发出的警告。关于全球化，欧洲社会几乎分成两大势均力敌的阵营，一方持开放接受的态度，另一方则趋于保守。德国的区域选举、意大利的地方选举、奥地利的总统大选、波兰和匈牙利的极右派得势，当然还有法国国民阵线的强势崛起：所有投票结果都反映了这个社会分化现象。

因此，我们需要从根本上、从源头上重建欧洲。

面对甚嚣尘上的欧盟怀疑论，如何振兴欧盟？如何掌控局面？

我们必须重新拾起欧洲梦，一个关于和平、共存与发展的梦。不过，每个人对"欧盟"这个词都有自己的见解，想要给它下定义并不是件易事。

为此，我们不能光从技术层面着手，实践复杂、死板的解决方案，而是要建立一个真正的政治目标。那些不仅仅看重欧盟的市场价值，更看重其对人性、创业自由、进步和社会公正的追求的成员国，应该重新定义这一目标，并做出相应调整。这是雅克·德洛尔在主持欧盟的数年间一直坚持的原则。现在，法国应该牵头，同德国、意大利及其他国家一起振兴我们的欧洲。

想要实现振兴欧盟这一目标，必须以三个概念为核心：主权、着眼未来、民主至上。

先分析一下现状吧：今天，在主张开放和主张封闭的两大阵营之间存在着一条鸿沟。作为改革者和进步主义者，我们必须选择开放的社会、选择更大的欧洲。

进步主义意味着我们无法孤立于这个世界，如果自我封闭，我们失去的将比收获的多。我们需要告诉大家，有保护的开放才是可持续的，所有人、所有成员国都将从开放政策中受益。

然而，我们混淆了主权主义和民族主义。我认为，真正的主权主义者是欧盟的拥护者，因为欧盟是我们收回主权的机会。这具体是什么意思呢？让我们先从词汇的原义开始整理思路吧。所谓主权，就是指一个民族在其领土上自由行使集体选择的权利。拥有主权，意味着能够在国内外事务上更有效地采取行动。

面对目前所有的挑战，如果认为仅仅在国家层面做出改革即可应对，这无疑是美好幻想，也是个巨大的错误。面对移民潮、国际恐怖主义威胁、气候变化和数字化革命、美国或中国的强大经济攻势，所有应对措施都必须上升到欧盟层面。

如果我们声称有能力独自控制来自北非和中东的移民潮，独自针对北美数字平台避税问题制定规章，独自应对气候变暖问题，独自与美国或中国就对等的贸易协定进行谈判，有人相信吗？在未来几年里，针对不同的领域，我们必须与其余26个欧盟成员国携手共进。就以移民潮为例，这原本是国家层面的问题。但是，面对愈演愈烈的移民潮威胁，我们需要一个更强有力的后盾——欧洲。有人提议退回到原来各自设立国界的状态，这样就有了实实在在的保护。这可完全是异想天开。我们真的能接受在边境重新部署兵力吗？能接受关闭通往德国、比利时、西班牙、意大利的道路吗？这真的是我们想要的吗？更不要说，在近几个月里袭击欧洲的恐怖分子中，有不少是居住在法国和比利时的自己人。

在这一点上，每一个欧洲国家都是利益相关方。我们必须强化应对行动，制定行之有效的政策。这意味着建设一个真正的海岸警卫队和边防部队，确立共同的身份认证制度。因为，任何一个到达莱斯沃斯岛[1]或兰佩杜萨岛[2]的人都可能会踏上法国国土。然而，今天所谓的欧盟边防局只能在某个国家的要求下进行干预，而且手段非常有限，欧洲国家之间防务合作也远远不够。

目前，边境问题至关重要，站在正确的层面看待边境也十分关键，做好欧洲边境的保护措施似乎是个靠谱的回答。

推行有效的安全政策还需要我们与第三方国家进行协调，尤其是

---

1 莱斯沃斯岛，希腊岛屿，上设有难民营。
2 兰佩杜萨岛，意大利岛屿，已成为非洲非法移民进入欧洲的中转站。

战乱地区和移民的原籍国。在难民问题上，欧盟必须对难民原籍国采取相应政策。欧洲的错误，就在于没有在危机爆发之前实行这样的政策。其次，我们需要针对这些国家制定协调一致的发展援助政策，帮助他们在冲突地区，尤其是叙利亚周边国家，自行管控难民潮。在叙利亚内战初期，当数百万难民聚集在这几个周边国家时，欧盟应联合国之邀在欧洲土地上施以援手，却没能做好难民危机的预防工作，这就是个重大失误。最后，我们必须在未来几个月里同英国重新洽谈移民问题上的合作。英国目前在这方面资金投入有限，而法国也无法独自承受难民营的全部负担。除了资金参与之外，英国也必须同欧盟共同处理发生在欧盟边境的难民问题。

在这些议题上，欧洲主权才是正确的探讨层面。

再举个贸易方面的例子吧。欧盟的主权也应体现在规范自由贸易上，同时促进全球化的文明发展。在担任经济部长时，我就曾为了捍卫法国钢铁行业而向不公平竞争宣战。尤其在涉及同加拿大的协定时，我也坚持主张（有时甚至是孤军奋战）应该由欧盟牵头制定贸易协定，因为团结才是力量。否则在面对国际上的竞争对手时，一个孤零零的法国如何自保？当某个欧盟国家单独与强大的贸易伙伴谈判时，其优势何在？欧盟作为自由贸易协定谈判代表的同时，欧洲议会和各成员国议会还应该做到：将公民及时、规范地联合在一起；保证政策透明化；最重要的是，针对抵抗不公平竞争现象，制定更强有力的措施。我赞成强化反倾销手段，并且做到更迅速、力度更大，在这方面我们可以参考美国。此外，我们还需要在欧盟层面控制其他国家在欧洲的战略性行业投资，对国家主权举足轻重的产业要予以重点保护，并且确保欧洲对关键技术的控制。

综合考虑各方面因素，欧盟是让我们在全球化浪潮中找到立足之地、妥善捍卫主权完整的支撑力量。因此，重建欧洲势在必行。

其次，建设欧盟还必须着眼于未来，也就是我们重振欧洲经济的共同目标。

今天的欧盟，尤其是欧元区，因为缺乏抱负而日渐衰退。我们踟蹰不前，是因为我们对过往的危机仍心有余悸。然而今天，我们需要一个全新的目标，需要制定从整个欧洲层面出发的投资政策。

说到投资，人们对欧元的诟病不绝于耳，难道我们这么快就忘记它曾经带给我们的益处吗？它保护我们免受货币波动影响，鼓励欧元区内的自由流通，让我们以绝无仅有的优惠条件融资。同时，我们也应该承认，未能完成欧元区财政一体化是个错误。

目前，欧元之所以疲软，一方面是由于其成员国之间日益拉开的经济差距，另一方面是政府和私人投资不振。过去，由于缺失真正的政策导向，欧元非但未能缩小欧元区各国之间的经济差距，反而导致了差距增大。面对前所未有的金融危机，欧盟最脆弱的经济体已经崩溃，各成员也纷纷陷入债务危机。今天，由于缺乏一个欧洲层面的危机应对政策，即便许多欧盟成员国都在积极缩减财政支出，但若要消除长期的收支失衡，仍需不少时间。尽管此刻我们迫切需要投资，以刺激整个欧元区的经济增长，但预算控制政策还是应该占主导地位。倘若不是欧洲中央银行在过去五年里倾尽全力，坚定地带领我们渡过债务危机，欧洲很可能已经陷入大衰退。

为此，我建议推出欧元区预算制度，向所有共同投资的项目提供资金，帮助最困难的地区，并应对各类危机。我们有能力做到这一点，因为在欧元区层面上，各个国家之间对债务不存在连带责任。

为此，我们需要有一名预算负责人，也就是一位管理欧元区的财政部长。他将确定该预算的重点拨款项目，鼓励并扶持部分国家进行改革，负责主持每月至少一次的欧元区议会，召集欧洲议会中所有来自欧元区的议员，以确保真正的民主监督。

同时，我们应该共同制定并重审游戏规则，推行更适合欧盟的经济政策。欧元区尚未恢复到危机前的投资水平，因此，我们现在不能放弃任何一个经济实体，应该尽快落实一个比目前的"容克计划"[1]更有力度的欧盟投资计划，其中包括政府补贴，而不仅仅局限于贷款或担保。该计划应该向光纤设备、可再生能源、互联网、储能技术、教育、培训和科研方面投入必要资金。所有纳入这一计划的、对未来的投资都不应该受到《稳定与增长公约》[2]中债务和赤字上限的束缚。

在这一点上，法国肩负重任。如果我们希望说服德国伙伴与我们

1　容克计划于2014年7月宣布，2015年9月正式启动，旨在重振欧盟经济。

2　《稳定与增长公约》，1997年欧盟委员会通过的，旨在保证欧元的稳定、防止欧元区通货膨胀的约定，违约者将被处罚。

携手共进，就必须先在国内进行改革。今天的德国持观望态度，并由于对法国信任感的缺失而搁置了不少欧洲项目。这一局面的出现是有历史原因的——法国曾两次失信于他的德国伙伴。一次是在2003年、2004年期间，我们曾承诺共同进行深度改革，结果只有德国人付诸了行动。2007年，我们又单方面停止了双方共同承诺的减少政府支出的计划。接着在2013年，我们再次推迟了缩减财政赤字的期限。这也是为什么如今德国虽然预算盈余有所增加，但这对德国自己及欧洲来说都不是好事。我们千万不要忘记，法国是欧盟的火车头，这意味着我们要为其他国家做出榜样。

理清头绪后，前进的方法在我看来就十分明朗了。2017年夏天，我们必须能够提出国家现代化改革战略方案和减少经常性开支的五年计划，并且立即将这些方案和计划付诸实施。作为对等条件，我们应该要求德国在国内重新加大投资筹码，并在两方面与我们携手前行：建立欧元区统一预算制度；同意对欧元区成员国提供投资贷款。

如果我们希望建设一个团结合作、勇于担当的强大经济体，就必须在各自国家层面上进行改革，尤其是欧元区的某些成员国必须在现存组织结构上做出更深刻的改革，比如在十年内做到税收、社会和能源制度的协同一致。这些国内改革是欧元区的核心工作，否则，欧元区将面临解体的威胁。

也就是说，我们必须在两年内做出一个真正的政治决定。欧盟中心的地基是否牢固，取决于欧元区国家是否能就共同预算及扩大必要投资（须尽快执行）达成共识。未来这两年对于欧盟和欧元区至关重要，如果不尽快做决定，欧盟将很难在各种利益冲突和民族主义情绪中支撑下去。两年后，我们要对法兰西人民有个交代。如果我们失败了，我们自己和合作伙伴都要共同承担所有后果。为欧洲而战，这是下一届法国总统首要任务之一，也是我们维护主权的先决条件。为了实现欧洲一体化的目标，我们必须现在就说服欧洲合作伙伴，尤其需要德国和意大利的密切配合。

至于欧盟，它将一如既往地保持重要性。这个拥有27个成员国的、比欧元区范围更大的共同体将维持其政治和经济职能：监督单一市场和进行调节干预；面对强大的外国企业制定合理的竞争和贸易政策；整合数字化和能源领域。

如果我们希望在国防和安全计划上向前迈进，就必须在申根地区的防卫上有实质性进展，展示出组建边防海岸警卫机构的决心。同时，我们还需要一起制定欧洲范围内共同的边防政策，并在获取情报和难民保护问题上密切合作。

因此，欧盟必须继续加强其在调节规范和安全防务方面的作用，因为唯有它能胜任这样的工作。这与欧元区的共同目标并不冲突。

最后，我们的改革唯有以民主为核心才可能成功。我们绝不能让蛊惑人心的政客或极端主义者摆布民众的思想，不能让欧盟变成一个危机管控机构，日复一日忙于编撰内部规则，以为这样就能弥补邻国间的信任缺失。同样，我们也不能因拘泥于按章办事而拒绝民众的合法诉求。

现在真正需要做的，是花时间进行辩论和做信心重建。我提议在明年的关键性政治时刻，即法国、德国和荷兰大选期间，呼吁民众掀起广泛的大辩论。

我建议在2017年秋季德国联邦议会选举结束后，所有欧盟国家都召开一场"民主大会"。在6至10个月内，每个国家根据自身情况，由政府和地方当局选择形式，就欧盟工作的内容、政策及其重点任务进行讨论。

结合辩论的结果，欧盟各国政府将拟定一个工作流程，其中包括共同面对的挑战以及需要采取的具体行动，然后确定任务优先顺序，并制定出未来五到十年的执行时间表。然后，每个国家根据其民主传统，从政策层面正式通过这个"欧盟项目"。对于那些要举行全民公投的国家，必须组织一场"欧洲项目"的宣传活动，从而在欧盟范围内展开广泛民主辩论。

唯有这样，欧盟才能被重新认可，民主辩论才能重新开启，成员国百姓的意见才不会被忽视。但是，从一开始我们就需要重新审核自身的组织结构。正像经济学家马里奥·蒙蒂和政治学家西尔维·古拉德所说的那样：当一个成员国投票反对一个新项目时，它可以不参与该项目，但这并不妨碍这个项目在其他成员国的进程。当然，欧盟内部差异会继续加剧，这一差异已经存在，但欧盟将在差异中前进，而不是节节后退。

　　重建欧洲绝非一日之功，它需要多年的努力。我们必须从长计议，指出一条通往未来的光明之路。但有一点是肯定的——一份事业耗时越长，我们就越需要尽快开始。

第十六章

权力回归民众

民众关心政治、投身政治的深切愿望让国家长久以来保持活力。然而，某种对民主政治感到厌倦的情绪也开始蔓延滋长，大家对所谓的"制度"，对低效的政府职能，对少数人拿整个民族的命运当赌注的行径怨声载道。这种情况并非法兰西独有。不少民主国家，尤其是西方民主国家，现在都患此通病。人们担心自己的社会地位下降，对动荡颠覆的世界感到恐慌，痴迷于极端或蛊惑性言论，不满情绪由此滋生。

在此情势下，人们必然要质问我两个问题。你自己就是体制内的人，难道也要来教训我们？为什么自古至今这么多人都一无所成，偏偏你就能改变这个国家？

对此，我的回答也同样直截了当。首先，我确实是法国精英制度的产物和成功者，但我从未认同过这个传统的政治体系。其次，我之所以相信自己会成功，是因为我不会力图完成一切，我先向人们展现一个明确的计划，再让民众相信我的计划。我想做的一切，我都将同人民一起去实现。

民众之所以愤怒，之所以否定政治，就是因为大权在握的执政者不再代表、理解或关心民众。法兰西所有的困扰都来自于此。

于是，不少政治人物认为我们必须制定新的法律法规，某些人甚至想重新制定宪法。可是多年前，遵守着同一部宪法，我们国家照样发展，而且也没有过怨声载道的情况。

说到底，人的素质是关键。在第二次世界大战中，我们的政治领导人和政府高官坚持地下抵抗运动，连续数月引领装甲车冲锋陷阵，他们的言行举止与今日政客完全不同。很明显，无论是从公共道德、历史责任感还是人文素质角度，如今的政治精英都与过去不可同日而语，这一点法国民众看得很清楚。

戴高乐将军在1964年1月31日的新闻发布会上讲的那句话，至今仍被人传颂。他说，宪法"是贯穿我们各项制度的一种精神，是这些制度的实践"。他又补充道，第五共和国政治制度的精神是"保障政府权力的效力、稳定和责任"。今天，这些目标已被公认为是历史留给国家的宝贵财富，而我也将以这些目标为己任。

我确信，法兰西民众对修改宪法的反复许诺已经厌倦，无论这种修改是"调整"，是"适应时代需求的改进"，还是"为了创立第六共和国而进行的彻底修订"。我不认为法国人把修订宪法看得多么重要，因为这并不为就他们所关心的问题提供任何具体答复。确实，在某些事项上修订制度可能是有益的，比如总统任职期限、削减议员人数、改革某类议会的内容或形式等。但总的来说，我认为当改革触及到制度的核心部分或基本法时，必须极其谨慎，如履薄冰。我们必须在适当的时候做这件事。

在我看来，最亟须改革的是制度的实际运作。调整议员参选的适用条件、必要时改进选举方法、采取有效措施解决冗长拖沓的立法程序和朝令夕改的规章制度……这类措施将有助于政治从其自以为是的圈子里走出来，为法兰西和法兰西民众提供更多、更好的服务。

关键在于，如何为国家选出真正为国家利益着想、符合时代需要的公众领导人？法兰西民众看得一清二楚，他们知道自己推选出的代表不再为人民利益而服务。确实，在国会议员中，尽管法律要求男女各半，女性却仅占四分之一。另外，有33名议员是律师，54名是政府官员，他们在国会中的权重远远超出在社会上的实际比例。相反，我们国家300万手工业者却只有一名国会代表，至于代表其他行业、社会团体的议员，勉强可凑足12名。

我的意思并不是要根据肤色或姓氏来统计议员人数。但是，法兰西以多元文化形象而闻名于世，议会代表的实际构成却没有真实反映社会成员的构成，二者之间不断加深的鸿沟怎能不让人感到震惊？解决办法是，在不影响民主制度效率的前提下，对议员人数的比例分配作更严格的规定。当然，我也衡量了这个变动会导致的后果——可能有更多来自国民阵线党的代表进入议会。如果有将近30%的选民投票给该政党，而在国会中仅有区区数人作为代表，对此我们如何解释呢？我们的主要任务是同该党派的理念做斗争，而不是阻止他们在国会中占有席位。

但是，我们必须避免改了旧错犯新错的情况。首先，我深信法兰西民众更关心的不是如何被代表，而是如何行动。他们希望政治人物做事要有实效，仅此而已。我们要让民众相信，更换台上政治人物的面孔有助于达到这个目的。也正因为这个原因，我们必须确保任何选举方式的改革都不应该有碍办事效率，不应该让那些只为党派或组织卖力的角色有机可乘，而应该带来一场全新的变化。

为了改变政界面貌，实施"禁止兼职"规则也是可取的途径。现行法律规定，从2017年开始禁止众议员或参议院兼任地方行政职务。这是件好事——尽管在我看来，能取消兼职津贴就不错了，而且还要考虑如何让地方代表在参议院占有一席之地。不过，这个措施还不足以鼓励政治人物更新。因此，我一直赞成禁止国会议员在任期内兼职，这不是为了惩处民众推选的有经验的代表，而是因为同许多其他职业一样，政治也需要专业知识和技能。但是我们也需要警惕，当政治不再是一项使命，而变成一份职业时，政治人物就不再为政治献身，而开始用政治谋利了。

为了让政治重新为法兰西民众服务，我更倾向于鼓励新人参与，而非简单地禁止旧代表留任。鼓励新人投身政治，尤其是鼓励那些既非公务员，也不是议员助理或某政党雇员，也不是自由职业者的男男女女。更为重要的是，新人需要在当选之前就参与实际活动，与雇员和雇主代表们一起努力，共同帮助那些敢于冒险、主动开展竞选活动、愿意为国家做奉献的人！

有好几个企业，比如米其林公司，已经组起其相应机构，允许雇员参与议会选举，而且一旦当选，还允许他们在任期结束后返回原职，晋升待遇跟在职时期保持一致。

我们也必须帮助那些离职的议员——许多议员想要保留原职，往往是因为他们不知道任期结束后做什么。因此，我们必须采取相应措施，帮助他们重新就业。社会应该为他们着想，因为他们曾为社会奉献了时间和精力。

同时，我们还要赋予那些僵化的政治机制以新的活力，这是民主辩论无法触及的死角。如今，各政党关心的不是整个国家的利益，而是他们各自的私利，即不惜一切代价维持其存在。这种倒行逆施不是左派或右派某一派所特有的，而是他们的通病。它也不是政客或共和主义者独自造成的，因为在极端阵营和共和主义党派内部都有这类代表。这种现象促使人们结党营私，将投身政治的人变成党徒。

如果政党本身不改革，议会的民众代表性就毫无意义——我们不过是在用一些党徒代替另一些党徒。而问题的关键，在于要设法让社会掌控政治！政党想要重新获得生命力，就必须找到其存在的理由：培养、思考和提议。所谓培养就是让新人才脱颖而出，譬如建立学院，为有志学习如何在公众场合自我表现、如何从政的年轻人提供帮助。我们发起的"前进！"运动，就是一个榜样，这也是为什么我希望来自普通社会阶层的男男女女能够担任要职。大部分人属于这种情况：我们的全国代表和地方代表中超过60%的人现在和过去都从未当过正式的民众代表。今后，我们也将对在"前进！"运动中任职的期限进行限制。

这种更具代表性的组建形式对于工会建设来说也至关重要。强大的工会组织对于社会生活是必不可少的，但是如果我们不鼓励它按照雇员的愿望安排人力资源，不让它在行业或企业承担更多的责任，或者工会本身不进行自我更新，它就不可能真正强大。这意味着，国家级的工会代表不能连任几届或身兼数职，这样会使他们脱离职工日常实际，他们的任期应当受到限制，然而他们为社会所付出的贡献也应当受到充分的尊重和考量。

我们决不能对政党或工会民选代表说三道四。最不能容忍的状况就是：一旦一个特殊团体形成后，它就自我封闭并开始制定自己的规则。造成这种情况的往往是政党或机构内部原因，而非民选代表本人。在我们谈论代表时，请不要忘记遍布在36500个市级议会里的375000名法国人，他们义务参政议政，也不要忘记那些工会代表，他们无私地奉献着时间和精力。

高级公务员也不能成为高标准、严要求的例外。诚然，高官阶层形成一个特殊团体，而且给人一种感觉，好像他们在暗中掌控着国家，只不过他们是经过竞争择优录用的，不像党派干部任命那样靠的是关系。能坐在发号施令位置上的，大约有近300人，每周三的部长咨询会上，都对他们有所任命。在这方面，我倾向于保持择优选拔的形式，就如同在国家行政管理学院及其他一些机构所实行的那样，因为入选者凭的是实力和才能。考察内容和考试形式或许可以改进，但是这不是总统竞选需要讨论的话题。

然而，我们应该从两方面完善高级官员的任用制度，使其真正实现现代化。首先，面向非公务员背景的人选，应该提供更多领导职位，这就要求国家必须成为一个能吸引人才的雇主。然而，现实状况却并非如此：官员报酬差，政府对真才实学和努力的认可度低。而且，这个途径往往被一些政治头面人物用来结党营私，而不是为国家招贤纳士。其次，我们要废除高级官员的特殊保护制度。一直以来，人们认为一旦进入这个行业，就永远保留返回其中的权利，这样的保护已不再适应时代需求，也与其他社会阶层的生活现实脱节。的确，我们有保护高级官员的责任，从而确保他们在工作的中立性和独立性。但是他们也应当承担风险，接受社会对其工作的严格评估，而不是无止境地被保护下去。保护应当同工作性质有关，而不是因为同某个行政部门有关就获得终身保障。

也正是这个原因，我决定辞去政府官员的职务，参与总统竞选。我并不认为所有的公务员都应该先辞职，然后才能去竞选。但是，既然我主张勇于冒险、承担责任，我就希望自己做到言行一致。

在我看来，责任感有助于修复集体道德，这也是当今时代的迫切需求。

说到责任感，首先是政府要对人民，也就是说对国民议会负责。

但现行的体制却让失职行为有机可乘，这样的例子俯拾皆是。例如，对于是否武装干涉利比亚内战，英国设立了一个调查委员会，对英国领导人是否有足够理由、不顾地缘政治后果、发起法英联合干涉进行听证。请问，法国是否做了相同的调查？标准足够严格吗？任何对国家安全可能产生重大影响的事件，都应该理所当然地受到国会调查委员会的监督。

同样，我们也必须提高部长的责任感，以公正透明的方式核实部长人选的廉洁和正直。因此，和普通公务员一样，担任部级职务的人选必须以无B2类犯罪记录为前提，这也正是我们在前进党内部任命负责人时已经开始实施的制度。至于候选人的专业水平和潜力，议会相关委员会也应该予以审核。部长一旦被任命，就必须能立即在某个政府部门或行业独当一面。

当然，最为重要的责任感体现在政治方面。目前，这方面的运作已然背离时代趋势，所以必须进行革命。比如说，即使某些人在政治上遭遇失败或受到民主处罚，他们依然活跃在政坛。所谓政治责任感，意味着要接受游戏规则，并在偏离轨道时体面地承担一切后果。当一个人的廉洁性受到质疑时，我们能想象他竟然还在主宰国家的命运（哪怕仅仅是参选）吗？我不这么认为。准确来说，我们一生中都可能犯错误，这是人性，我们也有权改正过去的错误，这很合理。但是，作为一个政府首脑，一个参与最高职务竞选并要代表这个国家的人，那就要看他犯的是怎样的错误了。比如，触犯政府机构、触犯国家权威或涉及公款等，就应该彻底取消有关人员的资格。在这种情况下，官员也要有隐退的自知之明。这是我对投身政治和政治责任感的看法，因为，在要求别人将责任托付给你之前，首先要承担自己的责任。

那么，为什么我们会更有成效？为什么我们做到了，而那么多其他人却失败了呢？

首先，我不认为失败是必然的。如果我们希望政治重新为法兰西民众服务，就必须竭尽全力提高它的效率。

今天，法兰西民众感到他们的政府不再管事，欧盟、党派、市场、民意调查、街头抗议等都有所体现。人们感到很迷惑——到底谁是掌权者？因此，政府需要重新采取行动，要向民众解释。因为只有解释，才可能被社会接受。如果政府不进行明确说明，民众会继续不满、继续反抗。为什么1995年社会改革曾遭到社会的抵制？因为当时，无论是总统的政策规划，还是总理的执行计划，都没有考虑向民众进行解释。为什么劳动法改革遭受如此多的谴责？原因一样：因为总统和总理并未向民众解释这样做的原因。所以，我们要进行沟通和解释，而不是制造舆论。然而，当前政府通过推特或新闻摘要的形式发布重要政策，代替了本应是详尽费时的阐述。因此，必须创造条件，让政府能够与民众进行明确的沟通，这样，既能政府在办事时可以清晰，也可以提前说明自身力所不能及、无法做到的方面。

要提高效率，必须停止冗长推诿的立法程序，停止对欧盟文件无穷无尽的诠释，停止所谓的"情势立法"。试图对任何事情都制定事无巨细法律法规，这种陈旧的法式思维实在让人难以承受。短短15年内，我们竟然对劳动法进行了50多次改革！与此同时，失业率却在节节攀升——这一现象足以证明法律不是万能药！

在准备制定一项新规则之前，首先应该就相关情形进行真正的评估。更宽泛地讲，我们要通过调整组织机构、录用程序及其行政管理方法，终止这个来自19世纪的陈旧概念——政府的目标就是出台一份成文的东西。而政府真正的目标，应该是实现某个项目，而非制定一部规范。这就需要真正"转变"政府参与者的角色。政府政策是为民众服务的，当民众参与政策制定过程，政策将发挥更大效力。比如去贫政策、教育政策及许多其他政府行为，都应如此。

其次，法律文本的讨论过程应该加速，尽快做到让民主讨论和决策的节奏同现实经济生活相符合。对此我深有体会。在审查《促进增长和经济活动法案》时，我曾花费了数百个小时，先是拜访议会委员会，再是议会听证会，就同样的条文与同样的人进行辩论一次、二次、三次、四次！现在，法国的一部法律从提交到获得议会投票通过，平均花费时间在一年以上。接下来，制定执行细则也至少需要花同样的时间，除非是例外。由此可见，重新审视立法程序非常有必要。

同时，我们必须加强对现行政策的评估，加大对政府措施的监控。评估活动必须系统化。让我们回顾一下，今天有多少法律通过了却又闲置不用？多少法律执行了却不能解决初衷？每当一项法案被投票通过，执行两年后就必须考核其效力。每个重要法律法规都应该包括一个自动废除条款，规定其在缺少正式评估的情况下自动失效。

最后，要讲究效率，也就是要保证法律及其条文的执行稳定性。在同一总统任期内，对税收或公共政策每年、甚至每季度就改变一次，这种做法是绝不可取的。我在上面提到的评估程序可以避免极端情况的发生，但还远远不够。我希望能出台一项规定：在五年任期内，只能对税收或某项公共政策进行一次调整。这是保证效率必不可少的因素。

当然，上述目标的实现必须与国家机构改革相配套，这方面也要做到审慎和稳定。目前，没有几个部长及其幕僚的职位是稳定的。我们需要用法律、法规、部委通报来规定总的工作方针，但我们也要给予地方处理事务的自主权。在国家级别上，我们要把权力交付给最了解实际情况的人，要相信国家公务人员。这些人可以分布在医院、学校、警察局、监狱等，政府必须给予他们更大的自主权，因为每个人面对的问题都非常独特，不可能依靠中央解决。

因此，经历一个所谓的"权力下放"的新阶段势在必行。这意味着把中央的行政权力和职责下放到直接面对民众的地方机构，因为地方负责人往往最熟悉解决问题的办法，通常能够与相关人员达成务实的解决方案，而中央和部委的思路在这方面却往往耗时、刻板、脱离地方实际。

　　国家结构的重新整合必然导致行政管理方式及公务员制度的变化，我们需要建立一个更开放、更灵活的体制。一个更开放的体制有助于我们在政府部门的各个职业阶段和各个层次都可以录用有不同背景的人选；一个更灵活的体制能够因地制宜地在需求最大的部门安置更多公务员，并且为公务员提供新的职业发展机会。

　　我们可以很清楚地看到，目前政府部门的运行状态已经不再能满足民众需求，不再适应国家、医院和地方民众团体的现状。这不是公务员们的过错，在此我要再次赞扬他们的敬业精神和服务意识。但是，为了他们，也为了法兰西，我们必须正视目前自身的缺陷。

　　我明白，针对国家结构进行重新整合必将造成对习惯势力的冲击。但是，为了提高效率、释放公务人员的主观能动性，这场革命至关重要。

　　更广泛地说，我相信一种新型的民主协作。我认为，只有当我们对行动者给予信任，并赋予更多的权力时，才能成功。在这种新型的民主协作制里，必须为所有处于最佳位置的人提供行动的手段。

　　这是契约共和国所必需的基础。这个共和国依靠地方、社会及所有参与者共同进行自我改造。这么做需要一种我们还不习惯的纪律：对采取行动者给予更多的自主权；勇于实践，从而知道哪些是有效的、哪些值得实行、哪些应尽快取消；一旦发现社会在某些方面比国家做得更好，就将权力下放给社会。

　　按照我对民主的理解，民众不应该被动地将国家的治理交由政府领导人代理，在一个健康、现代的民主体制下，社会必然由积极主动的民众构成，他们将要参与国家的变革。

当然，国家始终需要发挥其中心作用。这种作用还应该再加强，因为在许多领域里，国家有着更大的作用。为了执行主权任务，国家必须具备所有必需的手段。为了保障安全，避免生活中的大灾大难，国家也必须负起责任。为了维持我们的经济正常运转，国家必须始终监督、确保公共经济秩序无误。

各地方民众团体及他们推选出来的代表需要发挥更大的作用，要赋予他们最大的权力和自由，因为他们是最有可能了解当地情况的人。这是进一步向地方民众团体转移权力的新举措，我们必须在未来数年间做出并完成这一决定。在权力下放实施过程中，国家必须秉承真正的务实精神，而过去我们在这方面有不足之处。

工会和雇主代表组织也需要拥有更多的权力，以便他们在行业或企业层面确定相应的工作条件。

社团组织需要再接再厉，继续在卫生、教育、社会事务、外来人口融入等方面扮演好其角色，并完成更多工作。

从现在起，我们要将民众本身视为公共事务的参与者，而非被管理者。我的决心是确定每个人的责任空间，同时又将权力还给他们。

如今，我们处在一个千载难逢的好时机：法兰西民众不愿再忍受，他们希望参与，也已经参与其中，并将参与得越来越多！所以，我们必须给予人民更多尊重，更实在地为他们着想。因为，他们才是我们时代的英雄，并始终是我们的英雄。

在社会生活中，许多关键行动需要大部分人民共同来执行。他们鞠躬尽瘁，大公无私地为他人服务。无论他们是政府活动的积极分子，还是担负某个职务，或是非政府组织志愿者，每个人都为此牺牲了大量的家庭生活和娱乐时间。数百万的法兰西人投身于社会团体，20万志愿消防队员为保障国民日常生活安全而努力……在我们的国家里，这种为社会服务的愿望无处不在：企业、社团、非政府组织、工会、地方民众团体，比比皆是。政府当局既应当继续支持他们，使这股力量更有成效，也应当引导和帮助他们，予以更多的自主权和信任。这种付诸行动的承诺和投入无处不在，是整个行动链的最后一环。正是这种承诺和投入支撑着我们的国家，确保我们能够团结一致、同心协力，也正是这种承诺和投入决定了国家的集体行动在实地能否有实效，让互助、平等、自由的理念落到实处，而不仅仅是空泛的口号。法兰西民众热爱自己的国家，也热爱其他人。他们希望为他人服务，而不是无奈地忍受！让我们支持和帮助他们实现这个愿望吧！

我坚信，只要我们处理好自己的问题，就一定能够毫不畏惧地走向未来，用双手造就自己的命运。我希望前面所有章节都可以证明我的信念，因为当我第一次决定提起笔，写下这些文字时，心中坚守的也是这份信念。

这场拼搏的起因和原动力，是踌躇满志、期盼前进的每一个法国人。他们同我一样，坚信只有依靠民众、永不脱离现实，才能取得成功。

我欣赏法兰西民众的纯朴无私，他们中有很多人过去对投身政治一无所知，但如今，每一天都有人决定加入我们这项前所未有的创举。同时，我也钦佩这些来自不同背景的法国人，他们成功克服过去的分歧，为了共同的目标而走到一起！

他们的加入，使政治得以重新聚焦于它的最终使命：改造现实，付诸行动，让权力回归民众。

结束语

我们每个人都由个人经历而造就，这其中有老师的教诲、亲友的信任、逾越的困难，等等。此时此刻，在我写这几行字时，我回想起那些曾帮助我成长、给予我勇气、教导我为他人服务的人们。我很清楚他们对我的期望，我也知道自己绝不想辜负他们的决心。那些曾经陪伴过我，但今天已不在人世的人们，是否还认得出这个世界？它经历了如此翻天覆地的变化，有时甚至使我们不安。

然而，我始终坚信，我们所进入的21世纪是个充满希望的世纪。

正是这个积极乐观的决心一直驱使着我为国家服务。

全球范围内正在发生的信息革命、环保革命、科技革命和工业革命的意义重大，法兰西必须积极地参与其中，而不能再任由自己与其他强国之间的差距继续拉大。

想要实现这一目标，我们必须做到两点。一方面，要重新推动欧洲的建设和发展，这是法国在全球化浪潮中的机遇；另一方面，我们要重拾信心，多年以来，这股力量似乎离我们越来越远，但我知道它一直存在于法国民众中。

为此，每个法国民众都必须重新找到自己的位置。

为了进行这场斗争，共和国总统的责任重大。对此我心里很清楚。一个总统的工作不仅仅是做决定，他还要承载远超出政治范畴的其他一切：国家的价值观、民族历史的延续、政府公职的魄力和尊严等。而正是这一切，构成了完整的法兰西。

面对这些，我已做好准备。

因为我深信，我们能够取得成功。当然，这并非某个早晨醒来时突然闪过的念头。参加共和国最高职位的竞选，是出于我的个人信念和时代需求两方面的考虑。我在这本书里也曾说过，在此之前，我经历过不同的人生，它将我从外省带到巴黎，又从企业带入政界。我担任经济部长的那段时期，尤其让我有机会充分了解到我们在这个时代所面临的巨大挑战。所有这些经历融合在一起，将我带到现今这一刻。

我要让法国续写我们的千年历史，然后重新骄傲地昂起头。这是一个解放民众和社会的宏愿，也是法兰西的雄心壮志，那就是尽一切可能让每个人发挥自己的才能。

现在的法国心怀恐惧，沉迷于过去的辉煌，它极端到侮辱和排斥弱者，又因筋疲力尽而停滞不前，勉强维系现状。我无法容忍自己的祖国再这样继续下去。

我要一个自由的法兰西，一个为它自己、它的历史、它的文化、它的风光、它的山山水水、它的历经磨炼却又独立完整的人民而感到自豪的法兰西。

我要一个传递其文化和价值、看得清机遇和风险、对未来充满希望、从不认同非法收益和无耻行为的法兰西。

我要一个高效、公平、敢于承担风险、让每个人都能选择自己的生活并依靠辛勤劳动生存的法兰西，一个尊重弱势群体、信任民众的和谐的法兰西。

你们一定会说，这一切都是梦想。

是的，法兰西民族在过去也曾有过类似的梦想，后来他们掀起了法国大革命。再后来，我们违背了这个梦想，可以说是自暴自弃也好，也可以说是遗忘在历史中。

没错，这一切都是梦，实现梦想需要高瞻远瞩，需要克制忍耐，需要我们真正投入其中。为了让法兰西实现自由和进步，我们必须掀起一场民主变革。

这是我们的使命，是我所知道的最伟大的使命。

马克龙胜选演讲

2017 年 5 月 7 日星期天，马克龙，39 岁，以 66.10% 的得票率当选法兰西共和国总统。晚上 21:00，选举结果公布后，他向全体法国民众演讲如下。

法兰西的女士们、先生们，在法国本土的、海外的以及国外的亲爱的同胞们：

经过一场漫长的民主博弈后，你们决定将信任票赐给我。为此，我必须向你们表示我衷心的感激。这既是一个莫大的荣誉，也是一项艰巨的责任。对于选举结果，之前未曾有过任何文字描述。在这里，我要说，谢谢你们，这是出自我内心深处的感谢。

我感激你们中间所有那些将票投给我，并支持我的人。我绝不会忘记你们！为了不辜负你们的信任，我将全心全意、全力以赴。

但是此刻，聆听这场演讲的人是所有人，是这个国家的全体公民，不管你们投了谁的票。我们被如此之多的困难压迫得太久了。面对这些困难，无论是经济困境、社会分化、民主政治的停滞不前，还是全国上下士气减退，我都一清二楚。

今天晚上，我要向我的竞选对手勒庞女士，致以共和的敬意。我知道，因为民族内部的分化，某些人将他们的选票投给了极端主义阵营。我亦尊重他们的选择。

我知道你们中有不少人也曾表示愤怒、担忧和疑惑。我的责任就是要听到你们的心声、保护最弱势的群体、改善社会互助制度、同各种形式的不平等和歧视做斗争，并且坚定地维护社会和国家安全，确保民族团结。因为我知道，我刚才说的每个字都关系到这个国家的女人、男人、孩子和家庭，关系到他们全部的生活，关系到你们大家以及你们的亲人。

今天晚上，我的演讲对象是你们每个人，是法兰西全体民众。我们对国家负有义务，我们继承了法兰西民族的光辉历史，我们拥有着胸怀世界的伟大抱负。我们要将这份同样的历史和抱负传给子孙后代，但更重要的是，我们必须首先肩负它们，走向未来，并赋予其新的元气。

我一定会维护法兰西，维护它的核心利益、它的形象以及它的抱负。这是我在你们面前做出的承诺。

我一定会维护欧洲，维护这片大陆上各国人民都想要的命运共同体。这关系到我们的社会文明、生活方式，关系到我们想要的自由和价值观，关系到我们共同的事业和希望。我一定要努力重建欧盟成员国人民之间的关系，重建欧洲同法兰西民众之间的关系。

我以你们的名义，向全世界各国人民致以法兰西兄弟般的敬意。我要告诉各个国家的领导人，法国将致力于和平，致力于大国之间的平等，致力于国际合作，致力于遵守承诺，致力于为改善和解决气候问题而做出的发展和奋斗。我要告诉所有人，无论是在自己的领土上还是在国际行动中，法国都将站在反恐斗争的第一线。无论这场斗争将要持续多少时间，我们都会坚持下去，绝不示弱。

亲爱的同胞们，今天晚上，我们的悠久历史翻开了新的一页。我要让它成为法兰西重拾希望和信心的一页。从明天起，我们的政治生活将彻底改头换面。我将从第一天起，就以廉洁的政治风气、承认多种观点存在的必要性、承认民主的至关重要性作为自己的行动基石。再大的障碍也阻挡不了我，我将坚定地行动，并尊重每个人的基本权益。因为，我们将通过工作、教育和文化的渠道，建立更加美好的未来。

法兰西的女士们、先生们，亲爱的同胞们，今天晚上，我还要向奥朗德总统致敬，他在过去的五年中为我们国家做出了莫大的努力。

在接下去的新的五年里，我的责任将是消除恐惧、重拾乐观主义、发扬光大法兰西的进取精神，因为这就是法兰西创新意识最好的写照。我的责任将是凝聚起法国人民的力量，让我们共同迎接挑战、积极行动。这些挑战中，有些本身就是机会，如数码革命、环保过渡措施、重建欧洲等。另一些则是危机，如恐怖主义。我将竭尽全力同腐蚀和伤害国家的内部分化做斗争。唯有这样，我们才能将所有在职业生活、个人生活和家庭生活方面的机会归还给全体法兰西人民。

让我们热爱我们的法兰西吧！

从今天晚上开始，在接下来的五年里，我将以你们的名义，鞠躬尽瘁，为法国服务。

共和国万岁！法兰西万岁！